Formación Cívica y Ética

Primer grado

SEP

SECRETARÍA DE
EDUCACIÓN PÚBLICA

Esta edición de *Formación Cívica y Ética. Primer grado* fue desarrollada por la Dirección General de Materiales Educativos (DGME) de la Subsecretaría de Educación Básica, Secretaría de Educación Pública.

Secretaría de Educación Pública
Alonso Lujambio Irazábal

Subsecretaría de Educación Básica
José Fernando González Sánchez

Dirección General de Materiales Educativos
María Edith Bernáldez Reyes

Coordinación técnico-pedagógica
Dirección de Desarrollo e Innovación de Materiales Educativos, DGME/SEP
María Cristina Martínez Mercado, Ana Lilia Romero Vázquez

Coordinación académica
Universidad Nacional Autónoma de México:
Lilian Álvarez Arellano

Autores
Universidad Nacional Autónoma de México:
Lilian Álvarez Arellano, Patricia Ávila Díaz, Bulmaro Reyes Coria
Universidad Pedagógica Nacional: Valentina Cantón Arjona, Adriana Corona Vargas
Escuela Normal Superior de México: María Esther Juárez Herrera
Universidad del Valle del México: Norma Romero Irene

Asesoría
Instituto de Investigaciones Filológicas/UNAM:
Rubén Bonifaz Nuño

Corrección de estilo
Instituto de Investigaciones Filológicas/UNAM:
Jesús Gómez Morán

Revisión pedagógica
Ana Hilda Sánchez Díaz, Leticia Araceli Martínez Zárate, Ana Cecilia Durán Pacheco, Ángela Quiroga Quiroga

Coordinación editorial
Dirección Editorial, DGME/SEP
Elena Ortiz Hernán Pupareli, Alejandro Portilla de Buen, Rosa María Oliver Villanueva

Investigación iconográfica
Claudia C. Lasso Jiménez, Laura Raquel Montero Segura, Irene León Coxtinica

Portada
Diseño de colección: Carlos Palleiro
Ilustración de portada: Ericka Martínez

Primera edición, 2008
Tercera edición, 2010
Primera reimpresión, 2011 (ciclo escolar 2011-2012)

D.R. © Secretaría de Educación Pública, 2008
Argentina 28, Centro,
06020, México, D.F.

ISBN: 978-607-469-230-3

Impreso en México
DISTRIBUCIÓN GRATUITA-PROHIBIDA SU VENTA

Servicios editoriales
Stega Diseño, S.C.

Diseño gráfico
Moisés Fierro Campos, Juan Antonio García Trejo, Paola Stephens Díaz

Ilustraciones
Bonobo: Aurelio Álvarez (pp. 22-23, 43, 46, 64, 65, 86, 87, 105, 106), Juan Bazán (pp. 8-9, 68-69), Abraham Cruz (pp. 16, 24-25, 39, 42, 44, 45, 46, 63, 86, 87, 90-91), Carlos Incháustegui (pp. 8-9, 48-49, 56-57, 65, 68-69), Magdalena Juárez (pp. 12, 22-23, 28-29, 48-49, 90-91), Diana Morales (pp. 28-29, 105-106), Víctor Serrano (pp. 28-29, 43, 84-85, 90-91). Julián Cicero Olivares (pp. 40-41), Moisés Fierro Campos (pp. 36, 37), Juan Antonio García Trejo (pp. 36, 37), Jorge Porta (pp. 21, 38, 60, 61, 76, 80, 81, 98, 100, 101). *Idea original de las ilustraciones*: Alex Echeverría (pp. 21, 22-23, 24-25, 42, 43, 44, 45, 46, 61, 64, 65, 80, 84-85, 98, 100, 101, 105, 106).

Apoyo institucional
Centro de Investigación para el Desarrollo, A.C.; El Colegio de México; Comisión de Derechos Humanos del Distrito Federal; Comisión Nacional del Deporte; Comisión Nacional para el Desarrollo de los Pueblos Indígenas; Comisión Nacional para Prevenir la Discriminación; Confederación de Cámaras Industriales, Comisión de Educación; Congreso de la Unión, Cámara de Diputados, Comisión de Educación Pública y Servicios Educativos; Ejército y Fuerza Aérea; Universidad del Ejército y Fuerza Aérea; Fundación Ahora, A.C.; Iniciativa Ciudadana para el Diálogo Democrático; Instituto Electoral del Distrito Federal; Instituto Federal de Acceso a la Información; Instituto Federal Electoral, Dirección Ejecutiva de Capacitación Electoral y Educación Cívica; Instituto Mexicano de la Juventud; Instituto Nacional de Antropología e Historia, Dirección de Museos y Laboratorio de Geofísica; Instituto Nacional del Derecho de Autor; Instituto Nacional de las Mujeres; Instituto Nacional de Lenguas Indígenas; Mexicanos Primero; México Unido contra la Delincuencia; Navega Protegido en Internet; Secretaría de Educación Pública, Coordinación General de Educación Intercultural Bilingüe, Dirección de Relaciones Internacionales, Escuela Segura y Unidad de Planeación y Evaluación de Políticas Educativas; Secretaría del Medio Ambiente y Recursos Naturales, Centro de Educación y Capacitación para el Desarrollo Sustentable; Servicios a la Juventud, A.C.; Sistema Nacional para el Desarrollo Integral de la Familia, Dirección General de Enlace Interinstitucional; Suprema Corte de Justicia de la Nación; Universidad Nacional Autónoma de México, Instituto de Investigaciones Filológicas, Instituto de Investigaciones Jurídicas; Secretaría de Gobernación, Dirección General de Cultura y Formación Cívica, Dirección General de Protección Civil; Secretaría de Marina, Dirección General Adjunta de Educación Naval; Secretaría de Relaciones Exteriores, Archivo Histórico; Secretaría de Salud, Subsecretaría de Prevención y Promoción de la Salud; Secretaría del Trabajo y Previsión Social; Transparencia Mexicana; Fondo de las Naciones Unidas para la Infancia (UNICEF). Los conceptos jurídicos y de formación ciudadana se elaboraron en conjunción con el Instituto Federal Electoral y el Instituto de Investigaciones Jurídicas de la Universidad Nacional Autónoma de México; los relacionados con el cuidado de la salud y el desarrollo, con la Secretaría de Salud. El Centro de Educación y Capacitación para el Desarrollo Sustentable brindó las definiciones de su campo. El Instituto Federal Electoral desarrolló los contenidos de participación ciudadana y la glosa de la Constitución Política de los Estados Unidos Mexicanos.

Participaron los siguientes ciudadanos: Isidro Cisneros, Germán Dehesa, Enrique Krauze (El Colegio Nacional), Cecilia Loría Saviñón, Armando Manzanero, Eduardo Matos Moctezuma (El Colegio Nacional), Mario José Molina Henríquez (El Colegio Nacional), Carlos Monsiváis y Adolfo Sánchez Vázquez.

Agradecimientos
La SEP extiende un especial agradecimiento a la Universidad Pedagógica Nacional (UPN), por su participación en el desarrollo de esta edición.

Se agradece la atenta lectura de más de once mil maestras, maestros y autoridades educativas y sindicales, quienes participaron en las jornadas de exploración de material educativo de todo el país, y expresaron sus puntos de vista en la página web armada para ello. Asimismo, las revisiones y comentarios del Instituto Federal Electoral, de los miembros del Consejo Consultivo Interinstitucional para la Educación Básica y el constituido para revisar el diseño curricular del Programa Integral de Formación Cívica y Ética, así como la revisión de El Colegio de México.

Presentación

La Secretaría de Educación Pública, en el marco de la Reforma Integral de la Educación Básica, plantea una propuesta integrada de libros de texto desde un nuevo enfoque que hace énfasis en la participación de los alumnos para el desarrollo de las competencias básicas para la vida y el trabajo. Este enfoque incorpora como apoyo Tecnologías de la Información y Comunicación (TIC), materiales y equipamientos audiovisuales e informáticos que, junto con las bibliotecas de aula y escolares, enriquecen el conocimiento en las escuelas mexicanas.

Después de varias etapas, en este ciclo se consolida la Reforma en los seis grados y, en consecuencia, se presenta esta propuesta completa de los nuevos libros de texto, que abarca la totalidad de las asignaturas en todos los grados.

Este libro de texto incluye estrategias innovadoras para el trabajo escolar, demandando competencias docentes orientadas al aprovechamiento de distintas fuentes de información, el uso intensivo de la tecnología, la comprensión de las herramientas y de los lenguajes que niños y jóvenes utilizan en la sociedad del conocimiento. Al mismo tiempo, se busca que los estudiantes adquieran habilidades para aprender de manera autónoma, y que los padres de familia valoren y acompañen el cambio hacia la escuela mexicana del futuro.

Su elaboración es el resultado de una serie de acciones de colaboración, como la Alianza por la Calidad de la Educación, así como con múltiples actores entre los que destacan asociaciones de padres de familia, investigadores del campo de la educación, organismos evaluadores, maestros y expertos en diversas disciplinas. Todos han nutrido el contenido del libro desde distintas plataformas y a través de su experiencia. A ellos, la Secretaría de Educación Pública les extiende un sentido agradecimiento por el compromiso demostrado con cada niño residente en el territorio nacional y con aquellos que se encuentran fuera de él.

Secretaría de Educación Pública

Índice

Formación Cívica y Ética • Primer grado

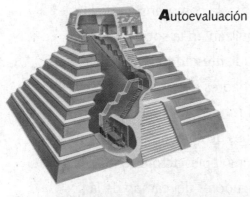

Tu maestra o maestro te leerá ó ayudará a leer este libro. El aprendizaje que logres en Formación Cívica y Ética contribuirá a tu desarrollo como persona alegre, sana, respetuosa y compartida. A través de actividades como lecturas y juegos te acercarás a temas importantes para la convivencia en tu familia, en tu comunidad y en tu país. También te servirá para conocer tus derechos, así como lo que la sociedad espera de ti.

Todos los niños y todas las niñas del país están estudiando lo mismo que tú con el fin de tener una base sólida para comunicarse, entenderse, colaborar y respetarse.

Portada de bloque

Aquí se inicia cada bloque. Vas a encontrar el título, que se refiere al tema que abordarás con tus compañeros y compañeras.

En esta página se dice para qué te sirve el contenido que vas a trabajar.

Platiquemos

Tu maestra o tu maestro te leerá pasajes de estas páginas como si fueran una historia.

Te preguntará qué te parecen las ideas que aquí se expresan, y te invitará a comentarlas con tu grupo.

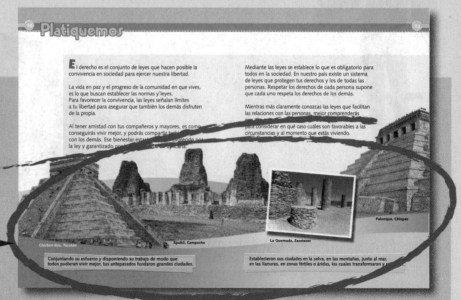

Cenefa

Mira y analiza las imágenes de la cenefa. Cuentan una historia y hablan del patrimonio de todos. Sirven también para despertar tu interés en la investigación y para relacionar lo que aprendes en ista asignatura con otras del grado que cursas.

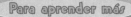

Para aprender más

Aquí sabios, escritores e instituciones de tu país comparten contigo su conocimiento. Tu maestra o tu maestro va a seleccionar los textos idóneos para impulsar tu desarrollo.

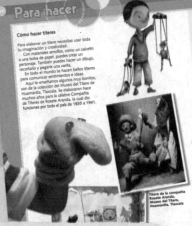

Para hacer

En esta sección encontrarás caminos, también llamados métodos, para aprender y hacer actividades variadas.

Juegos y actividades

Jugando y haciendo comprenderás mejor los temas que se abordan en cada bloque. Esto ayudará a que desarrolles tus competencias cívicas y éticas.

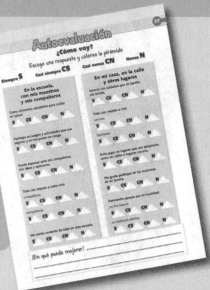

Autoevaluación

¿Cuánto te has superado, y qué puedes hacer para avanzar más? Evalúate y traza un plan de acción para mejorar.

Me conozco y me cuido

Con el aprendizaje y la práctica podrás:
- Conocer quién eres y cómo son los que te rodean.
- Aprender a cuidarte de peligros en la casa o la calle.
- Saber que eres parte de la comunidad, de la nación y del mundo.

Platiquemos

Tú, niña o niño de México, eres grande porque formas parte de una gran nación. Los extranjeros que deciden vivir entre nosotros respetando nuestras leyes participan también de esa grandeza.

Tú perteneces a una familia que con otras muchas forma un conjunto, que es tu pueblo.

La sociedad a la que perteneces tiene rasgos comunes, como su historia y sus leyes. Tú eres igual a todos, de acuerdo con la ley; pero en otro aspecto eres distinto de los demás.

La forma de tus ojos, el color de tu piel, la complexión de tu cuerpo son signos tuyos.

¿Cómo eran los rasgos físicos de nuestros antepasados? ¿Qué sabemos de ellos? Vamos a ver un ejemplo.

Altar 5, La Venta, Tabasco

También lo que sientes y piensas son rasgos que te pertenecen. La manera en que los muestras se llama conducta.

Tú tienes derechos y obligaciones. Tú eres ahora una niña o un niño muy importante para tu familia y tu país. Tienes derecho a vivir con salud y bienestar para desarrollarte. Existen instituciones como los Centros de Salud, el Instituto Mexicano del Seguro Social, el ISSSTE, entre otras, encargadas de brindarte atención para que tu mente y tu cuerpo se mantengan sanos.

Éste es el sitio arqueológico de Palenque, Chiapas.

En una de las pirámides de Palenque, el arqueólogo Alberto Ruz encontró una tumba.

Tú puedes cuidar tu salud, mediante una conducta adecuada, tanto física como emocional. Para ello, fortalécete con el ejercicio, el estudio y una alimentación correcta; aprende la prevención y a convivir respetuosamente.

Tu salud y bienestar está expuesto a un sinfín de accidentes o enfermedades. Tu derecho de mantenerte saludable ha de ayudarte a prevenir esos accidentes y enfermedades, no sólo ahora que eres menor de edad, sino siempre; es decir, a tomar precauciones ante toda situación de riesgo.

Probablemente algunos niños y algunas niñas cometan descuidos en la calle, caminos o veredas, en la casa o en la escuela, que pueden ocasionarles accidentes.

Vista interior del Templo de las Inscripciones

Esto puede ser totalmente evitado por ti si decides seguir las recomendaciones para prevenir riesgos.

Otro de los derechos que como niño o niña tienes es el amor y cuidado que han de tener contigo tu familia —padres, tutores, hermanos— y tus maestros en la escuela. No hay razón para que te maltraten o te falten al respeto.

Respetarte es tomar en cuenta tu edad, tu necesidad de protección, tu manera de ser y tus características físicas para ayudarte a aprender, a crecer y a desarrollarte con salud y alegría.

Al descender las escaleras interiores, y levantar la lápida del sarcófago, se hallaron huesos humanos.

En reciprocidad, respeta a todas las personas; es decir, toma en cuenta su manera de ser, su edad y sus derechos.

Conocer tus derechos y obligaciones te ayuda a convivir con todas las personas que te rodean.

Tu principal herramienta para convivir con los demás son las palabras. Con el fin de comunicarte has de aprender a usarlas. Así podrás transmitir tu pensamiento, dar a conocer tus necesidades y persuadir; o sea, convencer con razones a las personas acerca de lo que te parezca que es adecuado.

La jadeíta es un material que por muchas razones se considera precioso.

También se encontraron fragmentos de jadeíta, con los cuales se reconstruyó una máscara.

Recuerda que muchas personas velan por tu bienestar:
tu familia, tus maestros y compañeros de escuela; tus
compatriotas y las instituciones mexicanas. Esto te ayudará
a sentirte seguro, con buen ánimo para emprender
tus estudios y proyectos, a fin de alcanzar las metas
que te propongas.

No olvides que tienes derecho a que los demás te cuiden,
pero a ti te corresponde identificar y evitar los riesgos a los
que estás expuesto tanto en la escuela como en tu casa.

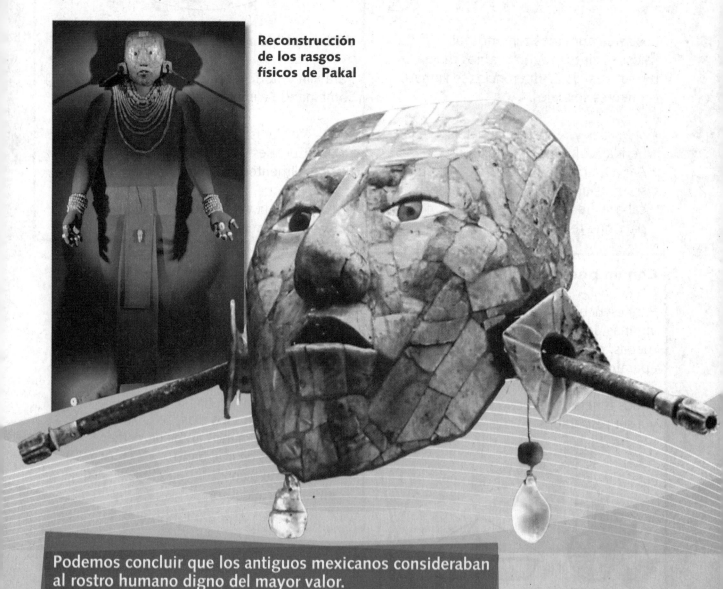

Reconstrucción de los rasgos físicos de Pakal

Podemos concluir que los antiguos mexicanos consideraban
al rostro humano digno del mayor valor.

El cuerpo humano

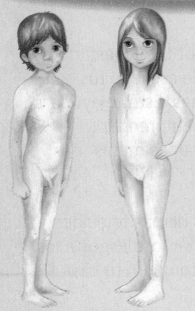

Los seres humanos tenemos rasgos físicos distintos según seamos mujeres u hombres. Estas diferencias se llaman caracteres sexuales.

- Si te caes y te raspas la piel, lávate las heridas con agua y jabón.
- Avisa a un adulto, de tu casa o escuela, si sufres una caída o un golpe en la cabeza. Te llevará a un servicio médico para que te revisen.

Fuente: NOM-043-SSA-2005

Plato del bien comer

Para alimentarte bien, come tres veces al día combinando alimentos de estos tres grupos:

1) Verduras y frutas
2) Cereales y leguminosas
3) Alimentos de origen animal

La fruta y la verdura deben lavarse muy bien antes de ser consumidas.

Con un poco de ayuda

Para escuchar, ver mejor o movernos, algunas personas necesitamos silla de ruedas, muletas, prótesis, bastón, un aparato de sordera o lentes.

Nada de esto debe ser objeto de burla. Todos tenemos derecho a ir a la escuela, y a ser respetados.

Para cuidar tu salud

Procura:
- Alimentarte sanamente
- Comer despacio y masticar bien
- Beber agua hervida
- Descansar lo suficiente
- Vacunarte en las fechas señaladas
- Bañarte todos los días
- Lavarte las manos antes de comer y después de ir al baño
- Abrigarte bien
- Protegerte del sol

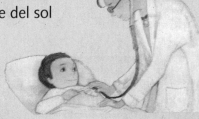

Así puedes actuar para prevenir riesgos

| Riesgos en la casa | Riesgos en la escuela | Riesgos en la calle |

Ollas con líquidos calientes
No te acerques a la estufa.

Pleitos
Respeta a todas las personas. Dialoga para resolver diferencias.

Cuidado al cruzar la calle
Procura no cruzar solo las calles. Si lo haces, antes de atravesar, fíjate bien que no haya vehículos.

Anafres en cuartos sin ventilación
Nunca duermas en habitaciones donde haya un anafre encendido.

Empujarse en escaleras
Camina con orden y cuidado al subir y bajar escaleras.

Cuidado con animales ponzoñosos
Identifica los animales ponzoñosos de tu región.

Prevención contra el dengue
Evita que se estanque el agua para que no proliferen los mosquitos que transmiten el dengue.

Datos personales
No des tus datos personales a desconocidos de ninguna manera, ni por teléfono, ni en Internet, ni en la puerta de tu casa.

No te acerques a personas desconocidas
Avisa a tus padres cuando personas desconocidas quieran acercarse a ti.

Conoce y protege tus datos personales y tus documentos de identidad oficiales

Tus datos personales son tu nombre, domicilio, el nombre de tus padres o tutores, y el nombre de la escuela a la que asistes.

Derecho
a nombre y a nacionalidad

El acta de nacimiento

Tu primer documento de identidad y ciudadanía es tu acta de nacimiento, expedida por el Registro Civil.

Identifica en tu acta de nacimiento el nombre de tus padres y tus abuelos, así como su lugar de nacimiento, nacionalidad y domicilio.

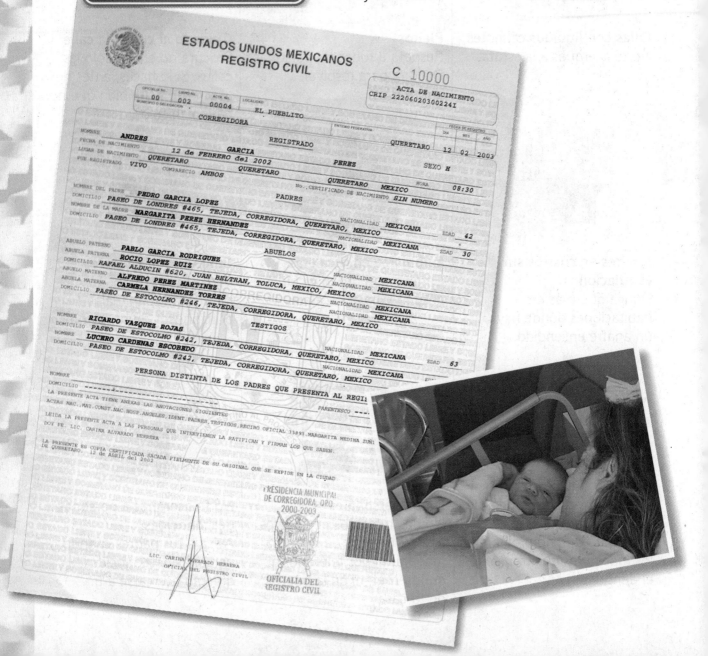

Cartilla Nacional de Salud

Este documento es el registro de tus visitas médicas y las vacunas que recibiste.

Recuerda que las vacunas te protegen de enfermedades muy peligrosas.

Derecho
a la salud

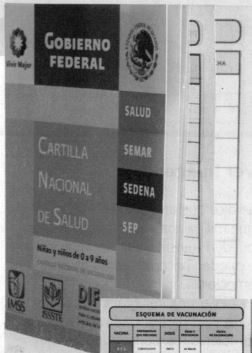

Estos papeles son importantes porque te ayudan a establecer tu identidad y a ejercer tus derechos. Conviene tenerlos en un lugar seguro. Si cambias de domicilio o lugar de residencia con tus padres, es importante que lleven consigo estos documentos.

Derecho
a la educación

Boleta

Tu boleta escolar acredita que estás ejerciendo tu derecho a la educación. Sirve para registrar tu desempeño y los datos de tu escuela. También aparece tu clave única de registro de población (CURP), la cual tramita tu escuela con tu acta de nacimiento.

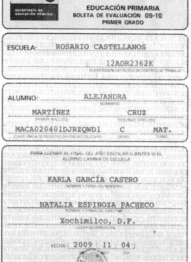

Ver imágenes

Se dice que una imagen vale más que mil palabras. Las imágenes nos pueden transmitir un sinfín de ideas y pueden hacernos sentir muchas emociones.

Al ver una imagen, distingue el todo y las partes. Cada parte puede también subdividirse. Una vez que hayas distinguido los elementos que componen el todo, podrás comprender mejor la imagen.

Por ejemplo, ¿sabes cuáles son y qué significan las partes de la Bandera Nacional?

En tus libros de texto encontrarás imágenes muy bonitas; algunas intentan prevenirte de algo; otras buscan ilustrar lo que las palabras dicen, y todas te invitan a investigar para saber más.

Decidir

En este salón de clases han decidido adoptar un perro. Para ello los niños y las niñas acuden a un albergue de animales y lo eligen.

Es un perro lindo y necesita un nombre. Hay varias propuestas: Canica, Mimí, Tigre, Pancho, Luna, Botitas, Campanita y Manchas.

Ahora te contaremos cómo deciden qué nombre ponerle.

Primero, necesitan saber si la mascota es macho o hembra. Con la ayuda de su maestra, descubren que es… ¡hembra!

Luego, cada uno explica por qué un nombre dado le queda bien al animalito.

Entre todos escogen uno y quedan conformes y contentos con el nombre de su nueva mascota.

¿Quieres saber por qué?

1. Toda la clase participó.
2. Buscaron la información que necesitaban (saber si era macho o hembra).
3. Propusieron nombres y cómo ponerse de acuerdo.
4. Votaron.
5. Como hubo dos nombres que obtuvieron igual número de votos, la perra se llamó… Canica Manchada.

Juegos y actividades
Los buenos hábitos me dan salud

Observa las imágenes y coméntalas. Tu maestra o maestro te explicará el juego de serpientes y escaleras.

Comenta con tu grupo qué puedes hacer para cuidar tu salud.

Cuido mi seguridad

María y Juan van a la escuela caminando.

1. Ayúdalos a seguir una ruta segura. Traza su camino.

María

Juan

2. ¿Qué camino conviene más para la seguridad de María y Juan? ¿Por qué?

3. Señala con un  lo que identifiques como riesgos para la seguridad o la salud.

ESCUELA

Las niñas y los niños tenemos derechos

Dibuja cómo ejerces tú estos derechos.

1. Derecho a vivir con tu familia

2. Derecho a la educación

3. Derecho a la salud

Autoevaluación

¿Cómo voy?

Escoge una respuesta y colorea la pirámide

Siempre S   **Casi siempre CS**   **Casi nunca CN**   **Nunca N**

En la escuela, con mis maestros y mis compañeros

Como alimentos saludables para cuidar mi salud.

S   CS   CN   N

Participo en juegos y actividades que son seguros y no me ponen en riesgo.

S   CS   CN   N

Puedo expresar ante mis compañeros mis ideas y opiniones.

S   CS   CN   N

Trato con respeto a todos mis:

compañeros

S   CS   CN   N

compañeras

S   CS   CN   N

Me siento contento de estar en esta escuela.

S   CS   CN   N

En mi casa, en la calle y otros lugares

Aprecio los cuidados que mi familia me brinda.

S   CS   CN   N

Trato con respeto a mis:

vecinos

S   CS   CN   N

familiares

S   CS   CN   N

Evito jugar en lugares que son peligrosos, como las calles o lugares oscuros.

S   CS   CN   N

Me gusta participar en las reuniones de mi familia.

S   CS   CN   N

Demuestro aprecio por mi localidad:

no tiro basura

S   CS   CN   N

no destruyo plantas

S   CS   CN   N

¿En qué puedo mejorar? _____

_____

_____

Me expreso, me responsabilizo y aprendo a decidir

Con el aprendizaje y la práctica podrás:
- Aprender a expresar tus emociones y necesidades.
- Saber cuándo puedes tomar decisiones, hacerte responsable de ellas y cuándo debes obedecer a los adultos.

Durante tu infancia dependes del amor y del cuidado de las personas que te rodean. Por eso, es importante que vayas aprendiendo a pedir a tus mayores lo que necesitas para sentirte seguro y feliz.

Las palabras son el mejor medio que tienes para comunicarte con los demás. Por ello, cuando tienes alguna necesidad, alguna emoción, algún dolor, las palabras te sirven para expresar algo que es exclusivamente tuyo en ese momento.

Recuerda que eres responsable de cuidarte y pedirle a las personas con las que convives que también lo hagan.

Como niña o niño tienes libertad de escoger en tus acciones aquello que no puede dañarte ni dañar a otros. Puedes

La Ciudad de México, capital del país, ocupa el lugar de otra gran ciudad que construyeron tus antepasados. En ella los niños y los mayores de entonces hicieron su vida.

elegir y actuar sin presiones de los demás, con responsabilidad, y consciente de las consecuencias de tus actos. Eres libre para decidir entre diferentes maneras de hacer el bien.

Hay asuntos que tú puedes decidir y ejecutar; pero ahora casi todas tus acciones requerirán del consentimiento, la autorización y el apoyo de las personas que te cuidan en tu casa y en tu escuela.

Por ejemplo, si quieres salir de tu casa, requerirás que tus mayores te den permiso de hacerlo. Si quieres salir de la escuela antes de la hora indicada, tus maestros tendrán que consultar a tus padres.

Recuerda que tomar desiciones te permite ser responsable y lograr que tú, tu familia y la gente de tu localidad vivan mejor.

Aquí ves cómo pudo ser esa vida. La plasmó en el Palacio Nacional el pintor mexicano Diego Rivera.

Además de ir aprendiendo a decidir, practicarás valores muy importantes; por ejemplo, el de la reciprocidad, el del respeto y el de la consideración.

Es algo natural que si haces un favor a un compañero, éste te guarde gratitud por ese hecho y esté dispuesto a corresponderte. En general, si lo que haces proporciona algún beneficio a otra persona, ésta te corresponderá de la misma forma. A esto se le llama reciprocidad.

Respetar a una persona significa tomar en cuenta su edad, su necesidad de protección, sus características físicas y su manera de ser. Si es de corta edad, respetarla es ayudarla a aprender, a crecer, a convivir con los demás y a desarrollarse con salud y alegría. Si es persona mayor tendrá necesidades diferentes.

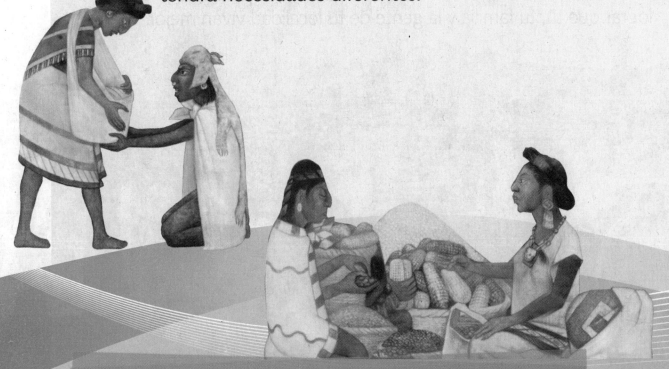

En este mural ves que los mayores usan las ropas propias de sus distintos oficios. Todo esto lo hacían en la ciudad que entonces existía, con sus casas y edificios públicos.

Considerar significa conocer y tomar en cuenta, al actuar, los sentimientos, las necesidades y los deseos de los demás antes de tomar una decisión propia.

Si comunicas tus sentimientos y comprendes los de las personas con las cuales convives, estableces una forma de comunicarte que facilita la consideración mutua.

Para entender a los demás y tenerles consideración es necesario desarrollar la empatía. Esta capacidad consiste en imaginar cómo otra persona ve las cosas y qué siente. La empatía hace posible la vida en sociedad.

La actitud de respeto y la capacidad de empatía te harán saber que todas las personas deben ser consideradas seres valiosos que es necesario proteger.

Observa cómo tus antepasados hablan y se comprenden entre sí, y cómo un niño juega arrastrando un juguete.

Todas las personas son dignas de trato justo e igualitario, independientemente de su edad. Aprende a dar ese trato a tus compañeros, a tu familia y a tus maestros. Al mismo tiempo, exige ese tipo de trato para ti.

En tu convivencia con tu familia y en la escuela, algunos actos te parecen justos y otros, injustos. Ahora podrás ir comprendiendo el sentido en que se usa la palabra *justicia*

Entendemos por justicia la voluntad constante de dar a cada uno lo que le corresponde.

Si se te presenta algún caso en que esto no ocurra, comenta con tus compañeros y mayores para que intenten buscar, mediante la conversación o el diálogo, una solución.

En muchos lugares de lo que es ahora tu país se construyeron bellas ciudades y se establecieron acuerdos para la convivencia.

La justicia, la consideración y el respeto posibilitan la vida en sociedad. También la igualdad y el diálogo.

Las normas y las leyes organizan la vida social para que sea justa y respetuosa. Es importante participar en hacer las normas de convivencia.

Cuando las normas son hechas por las personas que deben cumplirlas, hablamos de un acuerdo en el que todos se comprometen a tener una conducta determinada.

Los acuerdos, las normas y las leyes hacen posible la vida en sociedad. Por eso te benefician.

Las normas y las leyes, basadas en la justicia, son guías para que tomes tus decisiones y cumplas tus compromisos en la vida diaria.

Con la Conquista toda esa vida quedó sometida varios siglos. Miguel Hidalgo y Costilla proclamó la libertad de México con el que conoces como Grito de Independencia. Por eso se le llama el Padre de la Patria.

Cuentos de los abuelos

Nuestros antepasados, quienes conocían grandes verdades, encontraban en ellas luz y orientación para su vida. Les daban a esas verdades forma de cuento, y se las transmitían a las niñas y los niños de entonces. Así, las niñas y los niños iban aprendiendo, y su vida era también iluminada y orientada por estas historias.

Conoce estos relatos antiguos.

Creación del mundo

Al principio los poderosos, que eran como ángeles sin alas, no tenían casa dónde vivir, porque el cielo no existía.

Tampoco existían los árboles, los animales y la gente, porque no había tierra donde pudieran estar.

En ese tiempo todo estaba hueco y vacío. Sólo, muy abajo, había agua que nadie sabe de dónde nació.

Entonces dos muy grandes de los poderosos tomaron al primer ser humano que estaba ahí con ellos, y lo llevaron hasta abajo, a que caminara sobre el agua.

Cuando esos dos poderosos vieron al primer ser humano caminando sobre aquella agua quieta, sintieron una fuerte gana de hacer nacer todas las cosas, y se dijeron uno al otro: "Es necesario crear el mundo".

Entonces, como las serpientes iban a ser los animales preferidos de los poderosos, ellos dos se transformaron cada uno en una serpiente también muy grande, y bajaron así a juntarse con el primer ser humano, que unos dicen que era hombre; otros, que era mujer.

Allí se enroscaron en su cintura y lo tomaron luego por las manos y los pies. Enseguida lo apretaron por en medio con tanta fuerza que hicieron que su cuerpo se partiera en dos mitades.

Con una de esas mitades, los dos poderosos hicieron la tierra; con la otra mitad hicieron el cielo.

El cielo se llenó de estrellas, y fue la casa donde vivieron los poderosos.

La tierra se llenó de árboles, animales y gente, porque todos ya tenían dónde estar.

La gente respetaba y cuidaba los árboles y los animales, porque sabía que todos habían nacido del cuerpo del primer ser humano, y por eso tenían todos el mismo origen y la misma carne.

Este cuento se lo contaban nuestros antepasados a las niñas y los niños de entonces, para que, como un deber derivado de lo sucedido con el primer ser humano, aprendieran a respetar y cuidar los árboles y los animales y todo lo que estaba a su alrededor.

Tú también debes aprenderlo, y ser bueno con los árboles y los animales.

Respetándolos y cuidándolos, te respetas y te cuidas tú mismo.

Rubén Bonifaz Nuño
Cuentos de los abuelos

Nacimiento del sol y la luna

Cuando toda la tierra estaba en la oscuridad; cuando en la tierra era siempre de noche, los poderosos, que vivían en el cielo, se reunieron para crear el sol y que hubiera luz en la tierra.

Ellos se reunieron en una ciudad llamada Teotihuacán que había en el cielo, y de la cual la ciudad de Teotihuacán que está en México era como una sombra o un reflejo.

En esa ciudad celeste de Teotihuacán encendieron una enorme hoguera.

Aquel poderoso que quisiera convertirse en sol, debía arrojarse en esa hoguera y quemarse en ella. De ella saldría convertido en el sol.

Dos de ellos querían hacerlo.

Uno era grande, fuerte, hermoso y rico.

Estaba vestido con ropas de lujo y adornado con piedras preciosas. Les ofrecía a sus compañeros oro y joyas, muestras de su orgullo.

El otro era pequeñito, débil, feo y pobre. Estaba vestido con su ropa de trabajo. Como era pobre, sólo podía ofrecer la sangre de su corazón, sus buenos y humildes sentimientos.

Cuando llegó la hora de arrojarse a la enorme hoguera, el grande y rico no se atrevió, tuvo miedo y salió corriendo.

Entonces el pequeño y feo, que era muy valiente, se arrojó a la hoguera. En ella se quemó, y salió de ella convertido en el sol.

Cuando el otro lo vio, sintió vergüenza y él también se arrojó en la hoguera. En ella se quemó, y salió de ella convertido en luna.

Este cuento se lo contaban nuestros antepasados a las niñas y los niños de hace mucho tiempo.

Así les enseñaban que aquel que es valiente y bueno, aunque sea pobre y feo, puede hacer cosas mayores y más brillantes que las que hace aquel otro que es grande, fuerte y rico, pero no tiene valentía en su corazón.

Eso debes saberlo también tú.

Rubén Bonifaz Nuño
Cuentos de los abuelos

¿Qué es una familia?

Una familia es un grupo de personas emparentadas entre sí.

Componen una familia el padre, la madre, los hijos y las hijas, los abuelos, los tíos, los hermanos y todos los parientes que descienden de uno o más antepasados comunes, y los que se unen a una familia por un proceso de adopción.

Entre los seres humanos se crean lazos de amor, cariño y respeto que, aunque no estén emparentados, sí conviven y se cuidan unos a otros.

¿Cómo está compuesta tu familia?

¿Por qué hay adopción?

Todos los niños tienen derecho a formar parte de una familia. Por esta razón, el gobierno busca que el mayor número posible de niñas y niños sin cuidados parentales se incorpore a una familia y reciba amor y cuidados dentro de ella. Es decir, lo más importante para la sociedad es que todos los niños o niñas que sean dados en adopción encuentren una familia que los haga felices.

Sistema Nacional para el Desarrollo Integral de la Familia

El poder de la palabra

Hola, niño o niña:

Soy tu profesor DEL ARTE DE HABLAR PARA CONVENCER. Me llamo Marco Tulio.

¿A ti te gusta platicar? Yo sé que sí.

¿Con quién platicas todos los días? ¿Con tus compañeros o con las personas de tu familia que siempre te cuidan?

¿De qué platicas? Supongo que de tantísimas cosas.

Pero sé que a veces nadie te hace caso, que no siempre los convences a todos de que hagan, o te den, lo que tú quieres.

Bueno, para obtener PLATICANDO lo que quieres, y convenzas a los demás de que te den lo que pides, te voy a enseñar algunos secretos.

Secretos para conseguir lo que se pide mediante el habla
Primero: conocer bien lo que se pide.

- Ten bien claro qué es lo que quieres: un dulce, una pelota, un libro, algún juguete mecánico o electrónico, o ir a jugar con algún amigo.

- Considera si tu familia tiene esas cosas o el dinero suficiente para comprarlas.

- Ten presente que si tu familia piensa que lo que pides te puede hacer daño, no lo va a aceptar. Acaso hoy no entiendas esto fácilmente, pero ellos no se van a arriesgar a poner en peligro tu salud. Por ejemplo, el consumo excesivo de dulces te puede provocar caries, y la comida con escaso valor nutrimental hace que engordes y no te nutre.

- También investiga si ese día o a esa hora que tú quieres ellos te pueden llevar a donde tú pides sin que tengan que descuidar su trabajo. Recuerda que todos tenemos obligaciones que cumplir. Si alguna de estas causas impide tu deseo, entiéndelas y platica con tus familiares para realizar u obtener lo que quieres en otro momento. Sin duda, todo será por tu bien.

Segundo: aprender a pedir.

- *Las cosas pídelas con calma, "por favor", sin gritos, sin exigencia.* Los adultos se molestarán si les pides las cosas a gritos o llorando por capricho.

- *Es muy importante usar el nombre de las personas a quien se pide algo.* Por ejemplo: "Tía Chela, ¿me das un dulce?" o "Tía Chela, ¿me podrías llevar, por favor, a jugar con mis amigas?" La tía Chela se sentirá tomada en cuenta y valorada cuando oiga su nombre pronunciado por ti. Y si se conmueve, sin duda escuchará lo que quieres y tratará de dártelo.

- *Para convencer a los adultos, es útil decirles que tú ya cumpliste con tus obligaciones.* Claro: debes haberlas cumplido; por ejemplo, diles que ya hiciste tu tarea; pero, si les mientes, no solamente no te concederán lo que pides, sino que tendrás una consecuencia que no te será favorable. Por ejemplo: "Tía Chela, ya hice la tarea de la escuela y alcé mi uniforme, ¿puedo ir a jugar con mis amigas?".

Probablemente alguna vez no te permitan salir de casa porque luego no hay quien te traiga de vuelta, porque en la ciudad hay mucho tráfico, o porque en el pueblo o en el campo es peligroso regresar solos en la noche o muy tarde.

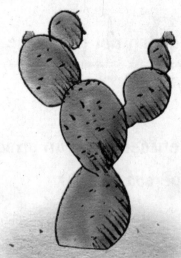

Escucha, entonces, las razones que te den otros, sean adultos de tu familia, maestros o niños. Haz un esfuerzo por entenderlos, solidarízate con ellos. Expresa con claridad tus deseos, y analiza con tus mayores lo que es conveniente y razonable hacer por tu bien y por el de las personas que te rodean.

Juegos y actividades

Conoce tus sentimientos y emociones

Todas las personas tenemos diversas emociones o sentimientos de acuerdo con lo que nos pasa cada día.

Mediante líneas, relaciona las circunstancias de la izquierda con la emoción o sentimiento de la derecha.

tristeza

Si te llevan al parque:

dolor

Si se te cae tu helado o dulce:

enojo

Si te caes o te lastimas:

Si te quitan del juego que te gusta:

alegría

Si te encuentras a un amigo que no esperabas:

sorpresa

Expresa tus emociones y necesidades

1. Observa las imágenes e imagina cómo se siente cada una de las personas.

2. Ilumina las escenas.

Todos merecemos ser tratados con respeto y justicia

En la casa

Dado que todos en la familia tenemos los mismos derechos, es justo que las tareas se distribuyan entre todos.

¿Qué condición de injusticia identificas en la ilustración?

_____

_____

¿Qué normas de conducta puedes proponer para evitar injusticias en esta casa?

_____

_____

En la escuela

A José no lo invitaron a participar en el juego porque dicen que no sabe jugar, y eso provocó que se sintiera muy triste.

Ilumina la escena.

Vamos a hacer un ejercicio de empatía:

Si fueras José, ¿qué harías?

_____

_____

¿Por qué crees que sus compañeros actuaron así?

_____

_____

¿Cómo invitarías a José a jugar?

_____

_____

¿Puedo hacer lo que quiera?

En la familia hay acciones que libremente puedes decidir hacer, pero hay otras que tienes obligación de llevar a cabo.

Observa las ilustraciones. Marca con verde el círculo que contiene las actividades que decides libremente y, con amarillo, las que haces como parte de tus deberes.

Contesta las preguntas y comenta con tus compañeras y compañeros tus respuestas.

¿Qué más puedes hacer libremente?

_____

¿Qué otras actividades realizas por obligación en tu casa o en la escuela?

_____

¿Por qué son obligatorias?

_____

Autoevaluación
¿Cómo voy?

Escoge una respuesta y colorea la pirámide

Siempre **S** Casi siempre **CS** Casi nunca **CN** Nunca **N**

En la escuela, con mis maestros y mis compañeros

Comento con mis compañeros las cosas que me hacen sentir alegría o tristeza.

Sigo las instrucciones que se me dan al realizar mis trabajos.

Pregunto si no entiendo bien alguna instrucción.

Me gusta aprender a realizar nuevas tareas.

Sé en qué ocasiones debo pedir permiso a mis papás para salir o hacer algo.

Ayudo a los demás a hacer cosas que se les dificultan.

Acepto la ayuda de otros cuando la necesito.

En mi casa, en la calle y otros lugares

Comunico a mis parientes y amigos si me siento alegre, triste o si algo me da miedo.

Respeto las normas en los lugares que visito.

Tomo decisiones acerca de:

cómo cuidar mis cosas como mis juguetes.

cómo cuidar mis útiles escolares.

Aprecio cuando los demás tienen atenciones conmigo y doy las gracias.

Colaboro en las actividades que se realizan en mi casa de acuerdo con mi edad.

¿En qué puedo mejorar? _____

_____

_____

Conozco y respeto a las personas que me rodean

Con el aprendizaje y la práctica podrás:

- Distinguir y respetar las diferencias de edades, culturas, rasgos físicos, creencias y situación económica de quienes te rodean.
- Reconocer que formas parte de tu familia, de tu escuela, del lugar donde vives, y que compartes necesidades e intereses con otras personas.
- Participar en tareas para cuidar el ambiente.

Platiquemos

Posiblemente las personas que te rodean sean distintas de ti en edad, en caracteres físicos —como estatura, color de piel, estado de salud— o en su manera de comportarse.

Estas condiciones distintas de las tuyas merecen siempre tu respeto.

Por distintas que te sean tales personas, ellas componen el grupo al cual perteneces. Aquí se incluyen la familia, los vecinos, los habitantes del lugar en el cual está tu casa; además los que ahí en ese grupo efectúan diversos oficios, como los comerciantes, los policías o los transportistas.

Los antiguos mexicanos supieron vivir organizados en sociedad y cuidar la naturaleza.

Como se reconoce en nuestras leyes, México es un país multicultural. Eso significa que en él todavía se conservan, por fortuna, diferentes grupos indígenas, descendientes directos de aquellos que fundaron su grandeza. Se hablan en nuestro país diversas lenguas y en él se vive conforme a diferentes costumbres.

Los grupos indígenas han conservado, junto con sus tradiciones, la lengua con que sus antepasados se comunicaron entre sí. Por esto en México, aparte de la lengua en que este libro está escrito, se hablan otras muchas mediante las cuales se comunican entre sí dichos grupos indígenas.

Todas ellas han de merecerte igual consideración y respeto.

Maqueta del mercado de Tlatelolco

El respeto mutuo y el respeto a la naturaleza son las bases de la sociedad.

Si los diferentes grupos que componen nuestro país se respetan y se ayudan unos a otros para alcanzar juntos condiciones de vida dignas, tendremos una forma de vida en que todos seamos iguales y libres.

Del mismo modo, si tú y tus compañeros se respetan y se ayudan, no se limita el progreso de nuestro país y el aprendizaje de cada uno de ustedes será mejor.

Considera ahora que en tu vida diaria hay actividades en las cuales se afirma algo que es fundamental: el recuerdo y la conciencia constantes de la patria a la cual perteneces. Por ejemplo, los honores que se rinden a los símbolos patrios en tu grupo escolar.

Ehécatl, según *Códice borbónico*

Códice borbónico

El lenguaje, la escritura y la tradición oral son básicos para unir a una sociedad.

Las ceremonias cívicas recuerdan algo notable ocurrido entre los ciudadanos. Tu participación en ellas contribuye al desarrollo de tu sentido de pertenencia a tu comunidad, a la nación y a la humanidad.

Para sobrevivir, las personas transformamos la naturaleza y la usamos en nuestro beneficio. Domesticando plantas y aprendiendo a cultivarlas, creamos la agricultura, que es la base de la vida en común. Estudiando y aprendiendo a cuidar a los animales, creamos la ganadería. Vivimos de la tierra, de los ríos y lagos de agua dulce y del mar. Con máquinas que inventamos hacemos más fácil, seguro y productivo el trabajo, nos transportamos y hacemos otras máquinas. Entre todos construimos carreteras, presas, puentes y edificios para vivir juntos.

Códice borbónico

Códice Borgia

Conoce estas formas de escritura que tuvieron nuestros antepasados quienes, dibujando en lienzos o esculpiendo en piedra, dejaron constancia de su manera de entender el mundo.

El trabajo de los seres humanos produce bienes y servicios valiosos para satisfacer nuestras necesidades diarias. Pero esa producción tiene consecuencias, como la pérdida de especies de animales y plantas, y la impureza del agua. Para hacer menos dañinos esos efectos, se requiere la colaboración de todas las personas en sus actividades cotidianas.

Tu educación te está preparando para que utilices los recursos comunes sin dañarlos, sino conservándolos, con el fin de que sean la base del bienestar de todos. Es necesario cuidarlos, porque nos brindan no sólo sustento sino también paisajes hermosos y maneras de vivir.

Códice borbónico

Estarás cuidando el patrimonio y los recursos del lugar donde vives si, por ejemplo, empleas sólo el agua necesaria, si no tiras basura en la calle ni en las alcantarillas, si sólo enciendes la luz y los aparatos eléctricos cuando los usas.

Debe ser propósito tuyo participar en acciones comunes encaminadas a la conservación de lo que llamamos *ambiente*; esto es, el respeto a los animales, la limpieza de tu calle, el cuidado de los árboles y jardines próximos e incluso los edificios, banquetas, pavimento y alumbrado.

El respeto a las personas y al ambiente en que habitas hará posible la convivencia pacífica, segura y saludable en el lugar donde vives.

Códice de Dresde

Nuestros héroes

Los héroes mayores que han guiado al pueblo en la construcción de tu patria han sido fundamentalmente indios y defensores de los indios.

El primero de ellos es Cuauhtémoc, que viene a ser, por el tiempo en que vivió y por su acción, el fundador de tu patria. Él defendió su antigua ciudad contra la invasión extranjera.

El héroe que inició la independencia de tu país y continuó la edificación de tu patria fue el cura Miguel Hidalgo y Costilla. También defensor de los indios, destructor de la esclavitud, vivió y murió para situar a tu país entre los países libres del mundo. Se le llama el Padre de la Patria.

Como después sabrás, en nuestra historia hubo una época que se denomina época de la Reforma. En ella, el héroe mayor fue Benito Juárez, indio de Oaxaca, bajo cuya guía el pueblo combatió victoriosamente contra los extranjeros que trataban de someterlo.

Vino después la época de la Revolución, cuando tu pueblo se levantó en armas para derribar la tiranía a que estaba sometido. El héroe que lo condujo en ese momento fue Francisco I. Madero, quien edificó tu patria instaurando la democracia en tu país. Se le llama el Apóstol de la Democracia.

Otros héroes colaboraron en la obra de la Revolución: Venustiano Carranza, promotor de la Constitución Mexicana de 1917, la cual garantiza tu educación, los derechos de los obreros y campesinos, y la soberanía de la patria sobre sus riquezas materiales; también Emiliano Zapata y Francisco Villa, quienes combatieron y murieron para restituir su tierra a los campesinos y por una sociedad más justa; uno en el Ejército Libertador del Sur, y el otro al mando de la División del Norte.

Después de la Revolución, hemos tenido un largo tiempo de paz. La patria siguió construyéndose gracias a las ideas de los héroes que guiaron al pueblo. Entre ellos podemos mencionar al presidente Lázaro Cárdenas, quien expropió el petróleo. Lo poseían extranjeros, y lo convirtió en nacional. El petróleo es todavía manantial de riqueza de la patria, ya que las ideas de Cárdenas siguen vigentes.

La participación ciudadana es una de las mayores fuentes de riqueza para el país. Todos y cada uno de nosotros debemos actuar de modo que nuestra nación sea cada vez más libre y más justa.

Rubén Bonifaz Nuño
El Colegio Nacional

Mm... sopa de letras

Si enriqueces tu lenguaje, mejora tu comunicación con
los demás y, por ello, a conocerte mejor y a participar.
La lectura es una manera de hacerlo.

Comienza por hojear los libros que están disponibles para ti
en bibliotecas y librerías del lugar donde vives.

En tu salón de clases y en tu escuela debe haber libros bonitos,
variados y muy interesantes.

Platica con tus amistades y familiares acerca de un libro que te guste.
Seguramente te recomendarán algún otro, y podrás leerlo con ellos.

Los símbolos patrios

El Escudo, la Bandera y el Himno Nacionales son los símbolos patrios de México. Son la expresión auténtica del origen de los mexicanos. Nos dan sentido de identidad y de pertenencia a nuestra nación.

Representan el espíritu que unió y fortaleció a los hombres y las mujeres en su lucha por independencia, soberanía, democracia y justicia social.

Un abuelo, don Andrés Henestrosa, escritor oaxaqueño, se preguntaba: "¿Qué son el Escudo, el Himno y la Bandera?" y se respondía a sí mismo: "Son tres cosas que sumadas dan la patria".

Constituye un deber cívico fortalecer y mantener el respeto hacia nuestros símbolos patrios, porque éstos son los emblemas de nuestra historia que representan a nuestras instituciones y al pueblo mexicano ante otras naciones.

**Andrés Henestrosa
(1906-2008)**

Secretaría de Gobernación

Diccionario

Al educarte, aprendes muchas nuevas palabras. Puedes aprenderlas y usarlas mejor si las escribes en fichas que ilustres con dibujos o recortes. Identifica la letra inicial de cada palabra, para que puedas ordenarlas alfabéticamente, como en un diccionario.

Escribe frases y oraciones con tus nuevas palabras, así tendrás más y mejores maneras de expresar tus ideas, gustos y necesidades. También podrás obtener más fácilmente la comprensión y la colaboración de otras personas.

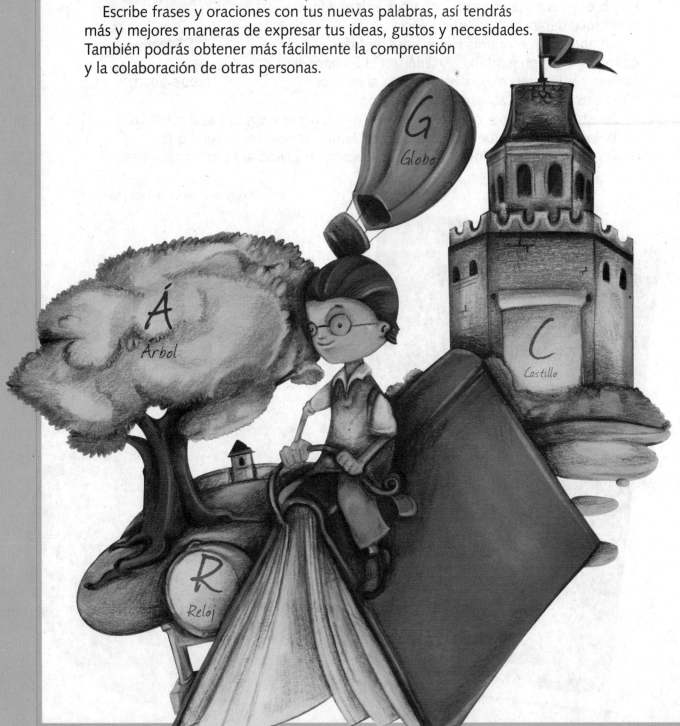

Reflexión crítica

Te hemos aconsejado que reflexiones antes de tomar decisiones y actuar. Pero,¿qué es reflexionar? Reflexionar es considerar detenidamente, estudiar una circunstancia.

Pregúntate: ¿Qué debo considerar antes de actuar?
- ¿Qué necesito saber para entender la circunstancia?
- ¿Qué es lo que no sé?
- ¿A quién le pregunto?

Otro tipo de preguntas sobre lo que vas a hacer es:
- ¿Es bueno?
- ¿Es justo?
- ¿Es útil?
- ¿Es necesario?

Para pensar en alternativas para actuar ante una determinada circunstancia
o un problema, puedes preguntarte:
- ¿Qué se ha hecho?
- ¿Qué más se puede hacer?
- ¿Es posible realizarlo?
- ¿Qué se necesita para hacerlo?
- ¿Cómo puedo conseguirlo?

Para cuidarte, antes de llevar a cabo una acción averigua:
- ¿Presenta riesgos?
- ¿Cómo evitar los riesgos?

Pregúntate, finalmente:
- ¿Qué más se podría hacer?
- ¿Qué es lo mejor?

Reflexionar con tus maestros y padres, platicar y buscar las respuestas al tipo de preguntas que te hemos indicado, enriquecerá tus ideas y puntos de vista para actuar atinadamente.

Juegos y actividades

Conozco y cuido mi patrimonio cultural y natural

Con la guía de tu maestra o maestro, lee "¿Qué es el patrimonio cultural?", bloque 4, página 77.

Investiga cuáles son algunos de los elementos del patrimonio cultural y natural de tu localidad que puedes conocer, cuidar y disfrutar.

Haz un álbum.

Investiga acerca del patrimonio natural del lugar donde vives.
Dibuja aquí el paisaje que te rodea y coloca dibujos o recortes
de plantas y animales de tu región.
Haz un álbum.

Necesidades distintas a edades diferentes

Lleva a cada persona hacia el lugar donde se encuentra el servicio especial que requiere por su edad o condición.
Usa líneas de diversos colores y evita que se crucen.

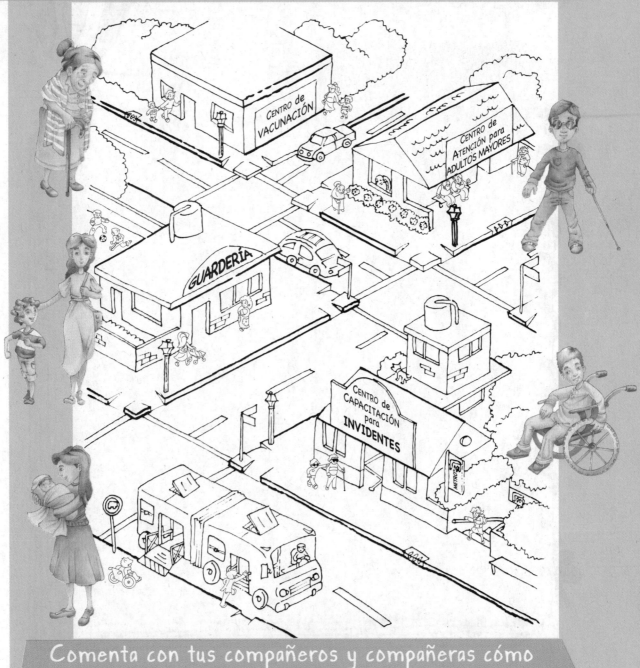

Comenta con tus compañeros y compañeras cómo puedes ayudar a alguien de tu grupo o escuela que tenga alguna discapacidad.

Cuido el agua

El cuidado del agua es una obligación que tenemos todas las personas del mundo, no importa dónde vivamos.
El agua es un recurso natural importante para el desarrollo de tus actividades y las de tu familia.

Relaciona las imágenes que muestran desperdicio y mal uso del agua con las acciones que debieran realizar esas personas para evitarlo.

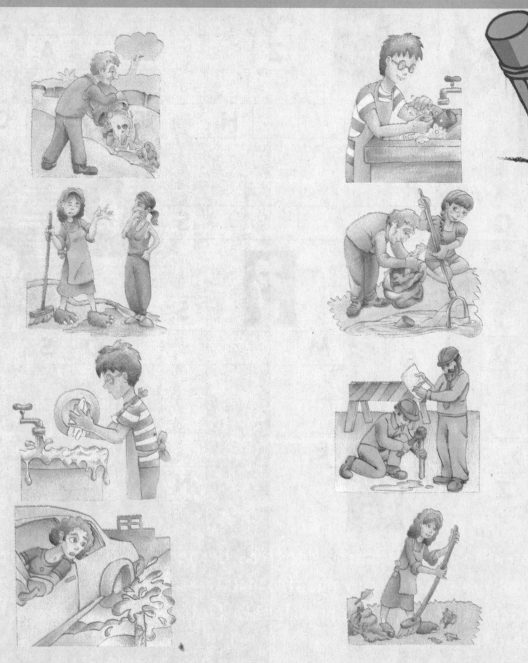

Los héroes y las heroínas de mi patria

En cada etapa de nuestra historia hay personajes que se destacan porque dedicaron su vida a impulsar cambios que nos benefician a todos. Recordamos a estos personajes en las ceremonias cívicas.

Completa sus nombres en el crucigrama.

Consulta en la lectura "Nuestros héroes" cómo colaboraron estos personajes con nuestro país.

Busca información sobre Josefa Ortiz de Domínguez y Carmen Serdán.

¿Cómo voy?

Escoge una respuesta y colorea la pirámide

Siempre **S** Casi siempre **CS** Casi nunca **CN** Nunca **N**

En la escuela, con mis maestros y mis compañeros

Juego con mis compañeras y compañeros sin hacer menos a nadie.

Respeto a todas las personas.

Evito usar apodos para nombrar a otras personas.

Cuido los recursos naturales y evito desperdiciar:

agua

comida

papel

Canto el Himno Nacional y saludo con respeto a la bandera en las ceremonias cívicas.

En mi casa, en la calle y otros lugares

Juego y hago trabajos tanto con niñas como con niños.

Ayudo a ancianos, niños más pequeños o a personas con necesidades especiales.

Evito desperdiciar el agua al bañarme.

Invito a los demás a que tampoco la desperdicien.

Me siento parte de una familia y procuro que estemos todos unidos.

Reconozco los logros que voy teniendo.

Me esfuerzo por ser mejor persona.

¿En qué puedo mejorar? _____
_____
_____

Construimos reglas para vivir y convivir mejor

Con el aprendizaje y la práctica podrás:

- Comprender que hay normas para el bienestar colectivo.
- Identificar y valorar el papel de las autoridades.
- Saber qué hacer para ponerte de acuerdo con los grupos de los que formas parte.

El derecho es el conjunto de leyes que hacen posible la convivencia en sociedad para ejercer nuestra libertad.

La vida en paz y el progreso de la comunidad en que vives, es lo que buscan establecer las normas y leyes. Para favorecer la convivencia, las leyes señalan límites a tu libertad para asegurar que también los demás disfruten de la propia.

Al tener amistad con tus compañeros y mayores, es como conseguirás vivir mejor, y podrás compartir tu bienestar con los demás. Ese bienestar estará siempre favorecido por la ley y garantizado por los encargados de aplicarla.

Chichén Itzá, Yucatán

Xpuhil, Campeche

Conjuntando su esfuerzo y disponiendo su trabajo de modo que todos pudieran vivir mejor, tus antepasados fundaron grandes ciudades.

Mediante las leyes se establece lo que es obligatorio para todos en la sociedad. En nuestro país existe un sistema de leyes que protegen tus derechos y los de todas las personas. Respetar los derechos de cada persona supone que cada uno respeta los derechos de los demás.

Mientras más claramente conozcas las leyes que facilitan las relaciones con las personas, mejor comprenderás que son necesarias, y las podrás distinguir unas de otras para considerar en qué caso cuáles son favorables a las circunstancias y al momento que estás viviendo.

Palenque, Chiapas

La Quemada, Zacatecas

Establecieron sus ciudades en la selva, en las montañas, junto al mar, en las llanuras, en zonas fértiles o áridas, las cuales transformaron y cuidaron.

Las personas que aplican la ley se llaman autoridades porque tienen la fuerza, que las mismas leyes les dan, para procurar el orden de tu vida en sociedad.

Esta vida comprende no sólo la de tu familia, la del grupo en que tu familia se mueve, los lugares y la forma en que trabaja, sino también la vida en sociedad; esto es, los grupos que con alguna finalidad formas con tus amigos y amigas en la escuela del barrio, en tu delegación o municipio.

Las autoridades tienen atribuciones y responsabilidades. Su conducta deberá ser siempre aprobada por ti mismo; en caso de que no la apruebes recurre a las personas mayores para que se ocupen en corregir lo que aquéllas hacen, si es que, después de escucharte, igual que tú consideran que las autoridades están equivocadas.

Observatorio
Chichén Itzá, Yucatán

Eran ciudades bellas, ordenadas, limpias, donde todos sus habitantes se sabían responsables de su creación y mantenimiento.

Siempre que tú o tus compañeros tengan un problema, resuélvanlo por medio de la conversación o diálogo, que son la misma cosa; fijen un propósito común para resolverlo. Así, los problemas colectivos entre ustedes o con sus mayores serán resueltos tan fácilmente como sus problemas individuales.

Al ponerte de acuerdo con los demás, estarás explicando la necesidad de la acción en común. Uno solo no podría nunca hacer lo que muchos.

Como apenas eres una niña o un niño, hoy en gran parte dependes, y dependerás algún tiempo más, de cuanto las personas mayores tengan que hacer por ti, aunque también puedes hacerte cargo de algunos aspectos de tu cuidado.

Teotihuacán,
Estado de México

Tula, Hidalgo

Por ejemplo, si tú no puedes hacer tu desayuno, te lo hará tu familia para que llegues a tiempo a la escuela. Tu mamá, papá o la persona que cuida de ti también verá que vayas limpio y que tu uniforme esté en orden para que puedas sentirte bien durante el día. Los mayores te llevarán a la clínica de salud cuando estés enfermo, y te darán lo que necesites para estudiar, como son los útiles escolares.

Para cuidarte mejor y para procurar tu bienestar, tus padres o tutores en tu casa, así como tus maestros en la escuela, ponen reglas de convivencia y de conducta.

Por tu edad, tienes derecho a la asistencia de las personas mayores, y es bueno que obedezcas las reglas de vida social y de conducta que buscan que tú y los otros puedan vivir en paz, desarrollarse y gozar de buena salud.

Monte Albán, Oaxaca

Edzná, Campeche

Es bueno que aprecies los cuidados de las personas que procuran tu bienestar, no sólo ahora sino toda la vida. Algún día, tú podrás cuidar y educar a otros niños, o ver por las personas mayores que hoy se ocupan de ti.

La gente que vive en el planeta puede ser diferente de ti en idioma, color, religión, costumbres y de muchos otros modos. Tú tienes que respetar las características de los demás de manera que puedas exigir respeto por las tuyas. Ese respeto posibilita la vida en comunidad.

La vida en sociedad es un bien que te pertenece. Tienes familia, compañeros y maestros, vecinos, compatriotas; además, tienes derechos, leyes, instituciones y una patria grande, México, que vela por tu desarrollo y tu bienestar. Cuida todo esto.

Uxmal, Yucatán

Los antiguos mexicanos sabían que el perfeccionamiento de la ciudad y de las virtudes ciudadanas, es tarea permanente.

México es de todos los mexicanos

En muchos de ustedes, niñas y niños de México, en el color de su piel, en los rasgos de su rostro, existen características que los relacionan directamente con nuestros antepasados indios. Eso debe hacerlos sentir orgullosos, porque tales antepasados fueron hombres y mujeres inteligentes, buenos, veraces, limpios y trabajadores, que construyeron grandes obras, las cuales causan todavía la admiración de todo el mundo.

Pero también los niños mexicanos que no tienen ese color moreno en su piel ni esos rasgos indios en su rostro deben sentirse orgullosos de sus antepasados, porque por lo menos algún abuelo suyo fue indio, y así las obras que construyeron los indios de antes son también herencia suya.

Y puede ser que entre las niñas y los niños mexicanos haya algunos que no tengan indios entre sus antepasados; ellos también, por el hecho de que ellos y sus padres han vivido entre nosotros, y han hecho en nuestra patria su hogar y su familia, deben estar orgullosos de las obras de los indios de antes, porque gracias a ellos son parte de una patria muy grande.

Así todos los niños y las niñas de México, morenos o no, vienen a ser hermanos, porque todos comparten igualmente un pasado glorioso y la seguridad de una patria presente que ellos, con su vida y su trabajo, harán todavía mejor en el porvenir.

Rubén Bonifaz Nuño
Cuentos de los abuelos

¿Qué es el patrimonio cultural?

Patrimonio cultural es todo aquello que nos caracteriza como mexicanos. Son nuestros vestigios tanto prehispánicos como coloniales, ya sean ciudades antiguas, edificios, cerámica, lítica, en fin, todo lo que las generaciones anteriores nos legaron y que forman parte sustancial de nuestra historia. También lo son las tradiciones y leyendas, lo que comemos y la manera de hablar, los productos de nuestros artesanos y las grandes manifestaciones de nuestros artistas.

La cultura la creamos cotidianamente. Está en la manera en que nos expresamos y la forma en que vivimos. También la vemos en todo aquello con lo que nos identificamos. La aprendemos desde niños en los juegos y en los cantos que nos son propios, y se va enriqueciendo a medida que crecemos.

Es por eso que hay que defender nuestro patrimonio cultural, pues es parte fundamental de nosotros mismos.

Eduardo Matos Moctezuma
El Colegio Nacional

Águila, Museo del Templo Mayor

Museo Regional Cuauhnáhuac, Palacio de Cortés, Morelos

Palacio de Bellas Artes, Ciudad de México

Pirámide de los Nichos, Tajín, Veracruz

Guaje dorado. Pieza ganadora del Premio Nacional de Ciencias y Artes 2007 Artesano: Francisco Coronel

La justicia en la escuela

Cuando las personas mayores hablan de justicia, se refieren a los más valiosos anhelos de la humanidad: libertad, paz, igualdad y verdad. La justicia es el valor y la convicción de convivir colaborando como grupo o sociedad para ser más plenos al perseguir y alcanzar nuestros sueños. En otras palabras, la justicia es el resultado del respeto que cada uno tenga para los demás y para sí mismo.

La justicia es, como decían los antiguos romanos, "dar a cada quien lo suyo"; es decir, que cada uno sea responsable de sus éxitos y fracasos, y que la comunidad lo respete. La equidad permite las mismas oportunidades para todos y exige obligaciones similares; algo es justo y equitativo si premia o castiga a quien lo merece, bajo las mismas condiciones y circunstancias, de forma imparcial y objetiva.

Por ejemplo, en la escuela puede suceder que Margarita sea muy buena para las matemáticas, pero Miguel no. Él pidió ayuda a su maestro, y ambos se juntaron todas las tardes a estudiar. A él le resultan difíciles los números y las operaciones. En el examen, Margarita sacó 10 y Miguel 7. El examen ha sido justo, porque a cada uno se le dio la calificación merecida. El trato fue equitativo, porque el maestro dio más tiempo al alumno que más lo necesitaba, para que Margarita y Miguel presentaran el examen en condiciones similares. Con justicia se dio la calificación que cada uno merecía, según sus talentos y méritos; la equidad acercó oportunidades a cada uno, para igualar lo más posible sus capacidades.

Suprema Corte de Justicia de la Nación

Derechos de niños y niñas

Muchos países, incluyendo el nuestro, se han preocupado por que niñas y niños tengan los mismos derechos.

En 1989, la Organización de las Naciones Unidas (ONU) aprobó la Convención sobre los Derechos del Niño, firmada por más de 100 países.

Se reconocen como derechos tuyos:

1. Derecho a la igualdad.

2. Derecho a una protección especial para un sano desarrollo físico, intelectual, espiritual y social.

3. Derecho a nombre y nacionalidad; es decir, a identidad y pertenencia.

4. Derecho a nutrición, vivienda y salud.

5. Derecho a atención especial para quien tiene un impedimento o diferencia física.

6. Derecho al amor, a la comprensión y protección.

7. Derecho a educación gratuita y a la recreación.

8. Derecho a ser socorrido en forma especial en caso de desastres.

9. Derecho a ser protegido contra la crueldad y la explotación.

10. Derecho a la no discriminación y a un entorno de tolerancia y paz.

Esta Convención es reconocida por nuestra Constitución Política.

Suprema Corte de Justicia de la Nación

Para hacer

Cómo hacer títeres

Para elaborar un títere necesitas usar toda tu imaginación y creatividad.

Con materiales sencillos, como un calcetín o una bolsa de papel, puedes crear un personaje. También puedes hacer un dibujo, recortarlo y pegarle una varita.

En todo el mundo se hacen bellos títeres para comunicar sentimientos e ideas.

Aquí te enseñamos algunos muy bonitos, son de la colección del Museo del Títere de Huamantla, Tlaxcala. Se elaboraron hace muchos años para la célebre Compañía de Títeres de Rosete Aranda, la cual dio **funciones por todo el país de 1835 a 1941.**

Títere de la compañía Rosete Aranda, Museo del Títere, Huamantla, Tlaxcala

Juicio ético

El juicio ético es la valoración de un acto. Mediante un razonamiento decides si es bueno o malo, justo o injusto.

¿Hacerlo o no?
En tus acciones, siempre puedes preguntarte:
¿es adecuado lo que hago?

Analicemos un ejemplo

Supongamos que un compañero te ha estado molestando en el recreo, y tú le platicas de esto a tu hermano mayor. Él te dice: "Si tu compañero te vuelve a pegar, ¡no te dejes, tú también pégale!"

Ante este consejo, tú tienes que decidir si lo haces o no; es decir, debes juzgar si pegar es correcto o incorrecto, si es adecuado o inadecuado. Además tienes que justificar tu decisión, explicando las razones que tienes para actuar de cierto modo.

Éstas son algunas maneras de reconocer lo que es adecuado:
- me hace sentir orgullo;
- le sirve a alguien;
- mejora la convivencia;
- contribuye a cuidar el ambiente;
- no me hace daño;
- no le hace daño a nadie más;
- no me hace sentir mal.

A lo largo de las lecciones de tus libros, habrás de analizar y juzgar lo que consideres adecuado o inadecuado, justo o injusto, correcto o incorrecto, pero para ello deberás pensar detenidamente cómo te afecta y también pensar en los demás. Esta manera de reflexionar se llama "razonamiento ético".

Con tus compañeras y compañeros de equipo, y con la orientación de tu docente, comenten por qué considerarían el consejo del hermano mayor como correcto o incorrecto. Elaboren un dibujo, describan las razones para cada alternativa de acción y discútanlas. Al final cada uno señale con cuál decisión estaría de acuerdo.

Al no actuar impulsivamente, sino pensando y volviendo a pensar para decidir qué es correcto o incorrecto hacer, estarás ejerciendo tu libertad.

Juegos y actividades

Los niños y las niñas tienen derechos y también deberes

Todos los niños y las niñas tienen derecho a una vida feliz con su familia, donde puedan disfrutar de bienestar y seguridad. Pero así como las leyes y la Convención sobre los Derechos de la Niñez señalan derechos, las niñas y los niños tienen que aprender a cuidarse y a exigir que se cumplan esos derechos.

Escribe en las líneas cuáles son tus deberes en relación con los derechos que se mencionan en la primera columna.

Mis derechos son:	Mis deberes son:
Recibir educación gratuita	
Vivir en un ambiente de paz y tolerancia	
Recibir atención médica	
Recibir trato respetuoso	
Recibir amor y comprensión de los adultos	
Jugar y hacer ejercicio	

Observa las fotografías.

Comenta con tu grupo y escribe:
¿Qué diferencias observas?
¿Te parecen justas las diferencias de oportunidades educativas?
¿Quiénes tienen la obligación de asegurar que niños y niñas disfruten de sus derechos?

Al respetar las reglas tanto en la escuela como en el trabajo o la comunidad contribuimos a que todos estemos bien

1. Observa y comenta qué normas están presentes en cada lugar.
2. Ubica a los personajes que se mencionan, ilumínalos y describe cuál es su responsabilidad.

La maestra

_____

La directora

_____

La secretaria

La mujer policía

El jardinero

Los trabajadores de la construcción

¿Cómo ayudas a las personas a cumplir sus obligaciones?

En la escuela

¿Qué pasa cuando no se respeta el trabajo de policías, maestras, bomberos, recolectores de basura o de otros servidores públicos?

_____

_____

_____

En la calle y en otros lugares

El trabajo de todas las personas es importante porque:

_____

_____

_____

Ponerse de acuerdo

En este patio de recreo dibuja niños y niñas jugando juntos.
Ayúdalos a ponerse de acuerdo sobre cómo usar las canchas
a la hora del recreo, de manera que todos puedan jugar y
participar.

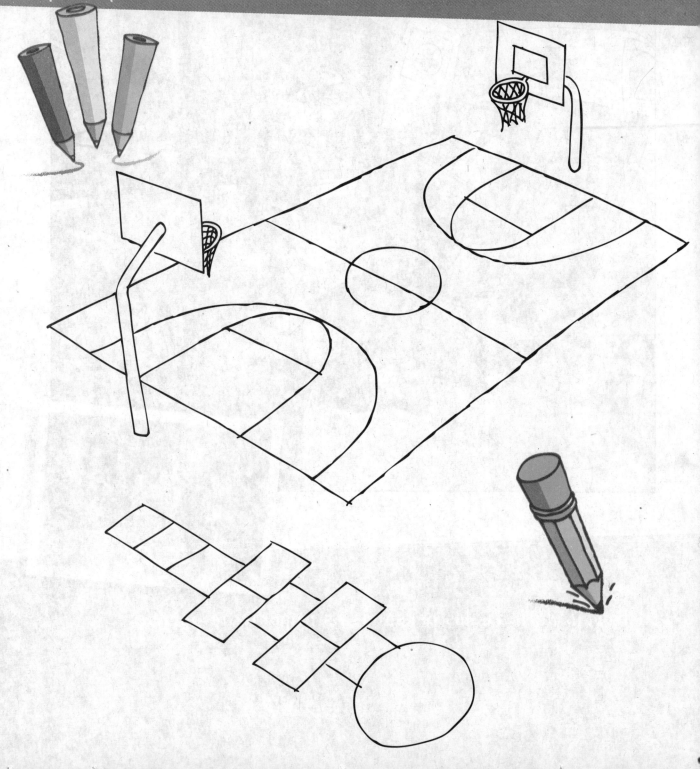

Autoevaluación

¿Cómo voy?

Escoge una respuesta y colorea la pirámide

Siempre **S**   Casi siempre **CS**   Casi nunca **CN**   Nunca **N**

En la escuela, con mis maestros y mis compañeros

Participo en el establecimiento de acuerdos en los asuntos de mi grupo.

S   CS   CN   N

Cumplo los acuerdos a que llegamos en mi grupo.

S   CS   CN   N

Escucho con respeto las ideas de mis compañeras y compañeros.

S   CS   CN   N

Pido la palabra para hablar.

S   CS   CN   N

Participo en actividades de mi escuela como campañas que benefician a todos.

S   CS   CN   N

Reconozco el esfuerzo que hacen los adultos para que yo pueda disfrutar de mis derechos.

S   CS   CN   N

En mi casa, en la calle y otros lugares

Tomo en cuenta la opinión de mis hermanos y otros familiares en mis asuntos personales.

S   CS   CN   N

Participo en la toma de decisiones de algunos asuntos familiares de acuerdo con mi edad.

S   CS   CN   N

Cumplo los acuerdos que tomamos en mi familia para vivir mejor.

S   CS   CN   N

Me cuido para no enfermarme.

S   CS   CN   N

Cumplo con las normas de lugares públicos, por eso:

no arranco plantas de los jardines.

S   CS   CN   N

no tiro basura en la calle.

S   CS   CN   N

¿En qué puedo mejorar? _____

_____

_____

Dialogamos para solucionar diferencias y mejorar nuestro entorno

Con el aprendizaje y la práctica podrás:
- Aprender a platicar para solucionar problemas.
- Trabajar con los demás para conseguir el bien de todos.

Con tu educación estás aprendiendo lo necesario para participar con los demás.

Has ido formándote como persona y como ciudadano por medio de tu participación en grupos; has aprendido a comprender el sentido de las leyes como garantía del ejercicio de tu libertad y derechos.

La participación implica acción conjunta y tender puentes entre distintos proyectos, gustos, maneras y razones de hacer las cosas.

Y existen principios que orientan esa acción. Éstos son, en nuestro caso, las leyes y los valores de la democracia.

Aquí ves a una niña y un niño que estudian en sus libros de texto gratuitos acerca de sí mismos, de su país y de sus derechos.

Si tienes conflictos con los demás, resuélvelos siempre sin recurrir a la fuerza. De este modo podrás exigir que ésta no se aplique contra ti, y no sufrirás ni en tu seguridad ni en tu salud. Todo debe resolverse mediante la razón, no por la fuerza.

En la vida diaria pueden ocurrir conflictos o desacuerdos entre las personas. Para solucionarlos, entiende su causa y los puntos de vista de los demás.

Los conflictos consisten en la falta de concordancia entre los deseos y los derechos de las personas que conviven.

Los conflictos pueden presentarse porque alguna persona no recibe trato justo, alguien no cumple con su obligación, o siente que se le niegan sus derechos.

Se están educando para ser sabios y prudentes cuando sean personas mayores, y para participar plenamente en su sociedad desde ahora.

Para la solución pacífica de un conflicto, cada una de las partes habrá de exponer cómo considera que el problema lo afecta y la razón que lo lleva a intentar resolverlo.

A fin de asegurar la buena convivencia, da solución a los conflictos que se te presenten conciliando los intereses y necesidades de todos los afectados.

Para seguir correctamente esa dirección, es necesario que los afectados se expresen y se escuchen atentamente para comprenderse. Los acuerdos que se alcancen de este modo deberán ser plenamente respetados.

Toma en cuenta lo anterior para que tus palabras expresen la verdad todas las veces que hables. Si así lo haces, estarás practicando el valor de la honestidad.

Ves que los libros parecen volar.

Aprenderás que la honestidad es el máximo de los valores porque en él están comprendidas la prudencia, la justicia, la fortaleza y la templanza.

Con la prudencia encontrarás una mejor manera de resolver los conflictos; con la justicia, darás a cada uno lo que es suyo; con la fortaleza, usarás tu fuerza en beneficio de los demás y de ti; con la templanza, harás todo con calma y dignidad.

Si eres honesto, respetarás a los demás y serás gustosamente recibido por quienes te conozcan.

En este momento eres una niña o un niño, y sólo tienes las obligaciones que hemos dicho: cuidarte y no dañar a nadie, así como hacer tus tareas escolares y familiares no sólo bien sino mejor de acuerdo con tu edad y necesidades de protección y desarrollo.

Los libros impulsan y forman la libertad que deberán guiarte toda tu vida.

De grande tendrás, entre otras obligaciones, la participación social y política.

Cuando ayudas a los que tienen menos que tú, haces labor social. Siempre podrás juntarte con tus compañeros para ayudar a quienes tienen menos, con el deseo de que todos tengan al menos lo mismo que tú.

La primera labor de integración social consiste en el juego. Jugando, aprenderás que la sociedad se hace por el placer y la necesidad de estar y actuar en compañía de otros.

Al jugar, es necesario establecer reglas y seguirlas. A veces todos acuerdan cambiar alguna para mejorar el juego.

Tus libros te enseñan a conocer, cuidar y gozar del patrimonio de tu país.

Por ejemplo, si juegas a las canicas y te ganan, debes entregar las canicas. De esa manera, tus canicas tenderán un puente entre tú y tus compañeros. Si te las quedas, destruyes ese puente. Tal vez ya no te inviten a jugar.

Ahora que estás en la escuela primaria, tu deber principal es ponerte de acuerdo con tus compañeros, sobre todo cuando veas que no te entienden o no los entiendes, o no se entienden entre sí. En ese caso llámalos a platicar, busca un acuerdo entre todos y fomenta así una unión que llegue a ser indestructible y cordial.

Si estudias y aprovechas cada día los conocimientos que te brindan tu familia y tus maestros, cualquiera que sea tu situación y la de tu país hoy, será mejor mañana.

Cuida tus libros de texto gratuitos y aprende de ellos. Son parte de tu patrimonio cultural.

Guardianes de la seguridad

¿Quiénes cuidan la seguridad del lugar donde vives? ¿Cómo la cuidan? ¿Qué servicios prestan? ¿Cómo podemos colaborar con su trabajo? ¿Qué pasaría si ese trabajo no se realizara?

Hay servidores públicos que trabajan noche y día, y que arriesgan su vida para cuidar la nuestra. Entre ellos están los hombres y mujeres policías, y los bomberos. También los soldados y los marinos. Por eso, tantos niños y niñas los admiramos y estamos agradecidos por su labor.

El trabajo bien hecho de todas las personas cuida nuestro bienestar. Por eso, es muy importante esforzarse por hacer bien las cosas.

Vamos todos contra la intimidación

Para las niñas y los niños de tu edad, es muy importante saber que nadie tiene derecho de molestar ni intimidar a otros, y que nadie tiene derecho de molestarte o intimidarte a ti. Es tu derecho, como estudiante de la escuela, que las autoridades velen por tu bienestar, defiendan tus derechos y garanticen tu integridad.

La autoridad escolar debe supervisar que no existan situaciones de violencia o violación de derechos, y convocará a tus padres o tutores si tú o alguno de tus compañeros muestran falta de respeto o conductas violentas.

¿Por qué mis libros llevan este sello?

Esta imagen representa el nacimiento del saber, el modo como crece y sus resultados finales. Por eso, está representado por un árbol con sus raíces, tronco, follaje y frutos. Las raíces, como ves, no se hunden en la tierra sino en el contenido de los libros en que las niñas y los niños deben buscar el principio del conocimiento.

El tronco es el conocimiento mismo, que para ser válido debe ser robusto en su afirmación. Por esto, podrá desarrollar su follaje amplio y rico, dentro del cual nacerán bellos frutos. En la ilustración, estos frutos representan los resultados últimos del conocimiento que los niños y las niñas podrán recoger y aprovechar si estudian y participan en la vida de la escuela.

Aquí se transportan libros de texto gratuitos para las niñas y niños de todo el país

Las preguntas nacen de ti; las respuestas están en los libros

Asamblea
Martes 10 a.m., Sala de Arte
Tema: Cuidar el agua

Asamblea

En una asamblea, cada uno puede expresar sus ideas con la confianza de que será escuchado con respeto e interés. También, puedes tratar temas de tu aprendizaje, la convivencia en la escuela, los proyectos que elaboran tú y tus compañeros.

Actitudes necesarias para establecer acuerdos:

- Todos tienen derecho a expresar sus propuestas.

- Es necesario expresarse con respeto.

- Cuando alguien hable se le debe prestar atención.

- Para hablar hay que pedir la palabra y esperar tu turno.

- Escucha con atención las propuestas de cada uno.

- La decisión que se toma es la que logra más votos.

Participación

La participación es un derecho de la vida escolar y una manera de aprender. Por lo tanto, tienes derecho:

- a preguntar siempre que no entiendas o quieras saber más;
- a leer los libros, a usar las canchas recreativas o deportivas y los instrumentos educativos con que cuente tu escuela, como computadoras y biblioteca, del mismo modo que los demás;
- a expresarte en tu lengua materna.

La participación es también una manera de ponerte de acuerdo con otras personas para hacer algo que los beneficie.

- Identifica asuntos que te interesen e infórmate sobre ellos.
- Participa en tareas de acuerdo con tu edad y sin poner en riesgo tu salud e integridad física.
- Conoce las reglas, participa en definirlas y respeta los acuerdos.

La participación es una manera de construir nuevas ideas y solucionar problemas.

- Participa en pequeñas tareas de tu hogar, escuela o comunidad, donde tu presencia, alegría e ideas son bien valoradas.

> **Un ejemplo:**
> El cuidado del ambiente es tarea de todos; también de niñas y niños. Tú puedes participar en diversas acciones con la supervisión de adultos, quienes se harán responsables de guiarte y cuidarte.

Todos tenemos desavenencias

Las desavenencias o desacuerdos que se dan entre dos o más personas. ¿Por qué ocurren?

Durante una semana lleva un registro de las desavenencias que tengas con las personas con quien convives. Pon una ✓ para la persona y el día que tengas el desacuerdo.

¿Con quién?	Lunes	Martes	Miércoles	Jueves	Viernes	Sábado	Domingo	Total
Mamá								
Papá								
Hermanos								
Hermanas								
Primos								
Primas								
Vecinos								
Compañeros								
Compañeras								
Maestro								
Maestra								
Otros								

Al final de la semana, anota en la última columna cuántas veces tuviste desavenencias con cada persona.

También registra por qué ocurrieron las desavenencias.
Anota una ✗ en el cuadro que corresponda a la causa del problema.

☐ No me comprendieron.   ☐ No cumplí mis obligaciones.

☐ Fueron injustos conmigo.   ☐ No les di trato justo.

Ahora revisa tus resultados y compáralos con los de tus compañeros.
¿Con quién o quiénes tienes más problemas?
¿Cuáles son las dos causas más frecuentes?
Completa cada uno de los enunciados siguientes:

Creo que yo tengo algunos problemas cuando...

_____

_____

Reflexiona y escribe:

Puedo evitar problemas con mis papás si yo...

_____

_____

Puedo evitar problemas con mis amigos o amigas si yo...

_____

_____

Puedo evitar desavenencias con mis compañeros y compañeras si yo...

_____

_____

¿Peleo o soluciono?

Escribe en cada banderola una palabra con la que relaciones una desavenencia o un desacuerdo.

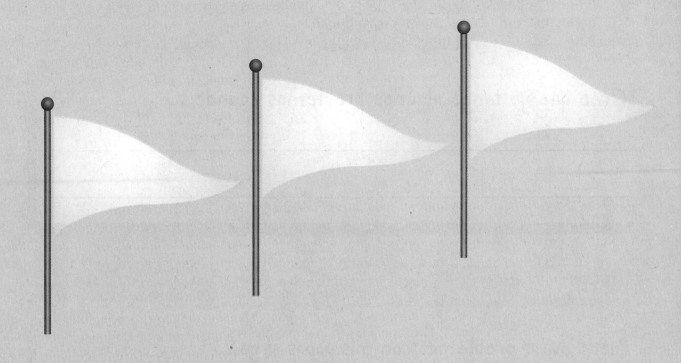

Compara tus respuestas con las de tus compañeros, e identifica cuáles fueron las más frecuentes. ¿Se parecen? ¿En qué? Reflexiona.

A menudo las personas piensan que tener un desacuerdo es lo mismo que pelear, alterarse o ser violentos. Sin embargo, cuando ocurre un problema tenemos la oportunidad de conocer mejor a las personas y entenderlas a través del:

Diálogo

¿Qué actitudes son indispensables para solucionar un problema mediante el diálogo?

Los desacuerdos son parte de la convivencia diaria, por ello es necesario aprender a solucionarlos sin violencia, platicando para ponerse de acuerdo.

Busca en la sopa de letras seis palabras relacionadas con actitudes que favorecen el diálogo. Están escritas en la página 106.

I	Z	O	Z	X	P	Z	N	F	J
C	O	N	F	I	A	N	Z	A	U
M	N	C	O	S	Z	I	F	I	S
C	F	C	F	M	S	F	M	Z	T
E	S	C	U	C	H	A	R	X	I
N	W	O	Z	F	A	V	Z	O	C
T	A	M	O	R	M	Z	F	N	I
R	O	Z	R	Q	D	U	W	O	A
P	R	U	D	E	N	C	I	A	I

Valores de la convivencia

Anota en los cuadros de abajo la letra del dibujo que corresponde a cada definición.

A — Justicia

Confianza

C — Escuchar

D — Paz

Prudencia

E

F — Amor

☐ Vivir con armonía, sin violencia.

☐ A cada quien se le debe dar lo que le corresponde.

☐ Al hacerlo atentamente podemos conocer lo que los otros piensan y sienten.

☐ Es no actuar por impulso, sino pensar las cosas antes de hacerlas.

☐ Es un sentimiento que une a las personas.

☐ Es creer en los otros.

Por equipos compongan una canción que hable de la convivencia pacífica y respetuosa.

Autoevaluación

¿Cómo voy?

Escoge una respuesta y colorea la pirámide

Siempre S   **Casi siempre CS**   **Casi nunca CN**   **Nunca N**

En la escuela, con mis maestros y mis compañeros

Reconozco por qué ocurre una desavenencia:

en mi grupo

S   CS   CN   N

en la escuela

S   CS   CN   N

Expongo mis ideas a mis compañeros para que evitemos desavenencias.

S   CS   CN   N

Platico con mis compañeros para solucionar los desacuerdos que a veces tenemos.

S   CS   CN   N

Colaboro con mi equipo en las tareas que nos indican.

S   CS   CN   N

Participo en las actividades que se acuerdan en mi grupo o escuela para mejorar nuestro entorno.

S   CS   CN   N

En mi casa, en la calle y otros lugares

Identifico las causas de algunas desavenencias que surgen en mi casa.

S   CS   CN   N

Procuro contribuir a la convivencia armónica con mi familia.

S   CS   CN   N

Soluciono las desavenencias mediante el diálogo con mis:

S   CS   CN   N

hermanos

S   CS   CN   N

amigos

S   CS   CN   N

vecinos

Propongo soluciones a desacuerdos:

sin gritar   S   CS   CN   N

hablando   S   CS   CN   N

escuchando a los otros

S   CS   CN   N

Realizo acciones que sé que benefician a mi familia.

S   CS   CN   N

¿En qué puedo mejorar? _____

_____

_____

Himno Nacional Mexicano

Coro
Mexicanos, al grito de guerra
el acero aprestad y el bridón,
y retiemble en sus centros la tierra
al sonoro rugir del cañón.

I
Ciña, ¡oh patria!, tus sienes de oliva
de la paz el arcángel divino,
que en el cielo tu eterno destino
por el dedo de Dios se escribió.

Mas si osare un extraño enemigo
profanar con su planta tu suelo,
piensa, ¡oh patria querida!, que el cielo
un soldado en cada hijo te dio.

[Coro]

II
¡Guerra, guerra sin tregua al que intente
de la patria manchar los blasones!
¡Guerra, guerra! Los patrios pendones
en las olas de sangre empapad.

¡Guerra, guerra! En el monte, en el valle
los cañones horrísonos truenen,
y los ecos sonoros resuenen
con las voces de ¡Unión! ¡Libertad!

[Coro]

III

Antes, patria, que inermes tus hijos
bajo el yugo su cuello dobleguen,
tus campiñas con sangre se rieguen,
sobre sangre se estampe su pie.

Y tus templos, palacios y torres
se derrumben con hórrido estruendo,
y sus ruinas existan diciendo:
de mil héroes la patria aquí fue.

[Coro]

IV

¡Patria! ¡Patria! Tus hijos te juran
exhalar en tus aras su aliento,
si el clarín con su bélico acento
los convoca a lidiar con valor.

¡Para ti las guirnaldas de oliva!
¡Un recuerdo para ellos de gloria!
¡Un laurel para ti de victoria!
¡Un sepulcro para ellos de honor!

Coro

Mexicanos, al grito de guerra
el acero aprestad y el bridón,
y retiemble en sus centros la tierra
al sonoro rugir del cañón.

Letra: **Francisco González Bocanegra**
Música: **Jaime Nunó**

Créditos iconográficos

P. 6, Maestra y niños, archivo iconográfico DGME-SEP. **P. 10**, Altar 5, La Venta, Tabasco, Fernando Robles, Conaculta-INAH-MEX*. **P. 11**, (izq.) Palenque, Chiapas, Fernando Robles, Conaculta-INAH-MEX*; (der.) retrato de Alberto Ruz Lhuillier (1906-1979), D.R. Ignacio Guevara/*Arqueología Mexicana/Raíces*. **P. 12**, templo de Palenque, Chiapas, Moisés Fierro Campos, Conaculta-INAH-MEX*. **P. 13**, (izq.) escaleras de la tumba de Pakal, Fernando Robles, Conaculta-INAH-MEX*; (der.) tumba de Pakal, Fernando Robles, Conaculta-INAH-MEX*. **P. 14**, (izq.) fragmentos de la máscara de Pakal en su tumba, Ignacio Guevara, Conaculta-INAH-MEX*; (der.) máscara de Pakal (detalle), Ignacio Guevara, Conaculta-INAH-MEX*. **P. 15**, (izq.) máscara de Pakal, Fernando Robles, Conaculta-INAH-MEX*; (der.) reconstrucción de Pakal, Ignacio Guevara, Conaculta-INAH-MEX*. **P. 16**, (arr.) plato del bien comer, Secretaría de Salud; (izq.) silla de ruedas, Heriberto Rodríguez; (centro) aparato para sordera, Moisés Fierro Campos; (centro) lentes, Heriberto Rodríguez; (der.) muletas, Heriberto Rodríguez. **P. 18**, (izq.) acta de nacimiento, Juan Antonio García Trejo; (der.) madre con bebé, Juan Antonio García Trejo. **P. 19**, (arr.) Cartilla Nacional de Salud, Secretaría de Salud; (ab.) boleta de calificaciones, SEP. **P. 20**, (arr.) bandera nacional, Secretaría de Gobernación. **P. 28**, pintura rupestre, Baja California, Conaculta-INAH-MEX*. **P. 30-31**, mural *La Gran Tenochtitlan*, de Diego Rivera, fot. Rafael Doniz**. **P. 32-33**, mural *La Gran Tenochtitlan* (detalles), Diego Rivera, fot. Rafael Doniz **. **P. 34**. mural *Civilización zapoteca* (detalle), de Diego Rivera, Baruch Loredo Santos, Palacio Nacional **. **P. 35**, (arr.) mural *Civilización zapoteca* (detalle), de Diego Rivera, Baruch Loredo Santos, Palacio Nacional**; (ab.) mural *Sublevación o Hidalgo*, de José Clemente Orozco, Palacio de Gobierno de Guadalajara, Jalisco, Fundación José Clemente Orozco, © Clemente Orozco V. **P. 39**, fuente de casa cuna Tlalpan, Sistema Nacional para el Desarrollo Integral de la Familia (DIF). **P. 50-51**, maqueta del antiguo mercado de Tlatelolco, Juan Antonio García Trejo, Museo Nacional de Antropología, Conaculta-INAH-MEX*. **P. 52**, Quetzalcóatl y Tezcatlipoca, *Códice borbónico*, p. 22, Conaculta-INAH-MEX*. **P. 53**, (ab. izq.) parteras, *Códice borbónico*, p. 21, Conaculta-INAH-MEX*; (ab. der.) *Códice Borgia* (detalle), p. 53, Conaculta-INAH-MEX*. **P. 54**, zopilote, *Códice borbónico*, lámina 21, Conaculta-INAH-MEX*. **P. 55**, (izq.) *Códice Dresde*, Jordi Farré, Conaculta-INAH-MEX*. **P. 58**, (izq.) niños, Comunicación Social SEP; (der.) niños, Juan Antonio García Trejo. **P. 59**, (arr.) Andrés Henestrosa, Blanca Charolet, Colección particular, permiso a nombre de Lilian Álvarez; (izq.) escolta de niñas, Baruch Loredo Santos; (der.) altorrelieve del escudo nacional, Baruch Loredo Santos, Secretaría de Gobernación. **P. 66**, Miguel Hidalgo y Costilla, Emiliano Zapata, Francisco I. Madero, Venustiano Carranza, Josefa Ortiz de Domínguez, Benito Juárez, José María Morelos: Museo Nacional de Historia, Conaculta-INAH-MEX*; Francisco Villa, Biblioteca del Congreso, EUA; *Cuitláhuac*, de Miguel Noreña, fot. Heriberto Rodríguez, Conaculta-INAH-MEX*; Lázaro Cárdenas, Fondo Editorial Gustavo Casasola; Carmen Serdán, CND, Sinafo-Fototeca Nacional del INAH. **P. 69**, jaguar, Marco Antonio Pacheco, Conaculta-INAH-MEX*. **P. 70**, (ab. izq.) Chichén-Itzá, Yucatán, Paola Stephens Díaz, Conaculta-INAH-MEX*; (ab. der.) Xpuhil, Campeche, Baruch Loreto Santos, Conaculta-INAH-MEX*. **P. 71**, (ab. centro) La Quemada, Zacatecas, Baruch Loredo Santos, Conaculta-INAH-MEX*; (ab. der.) Templo de las Inscripciones, Palenque, Chiapas, Baruch Loredo Santos, Conaculta-INAH-MEX*. **P. 72**, (ab. izq.) observatorio de Chichén-Itzá, Yucatán, Paola Stephens Díaz, Conaculta-INAH-MEX*. **P. 72-73**, (ab.) Teotihuacán, Baruch Loredo Santos, Conaculta-INAH-MEX*. **P. 73**, (der.) atlantes, Tula, Hidalgo, archivo iconográfico, DGME-SEP, Conaculta-INAH-MEX*. **P. 74**, Edzná, Campeche, Baruch Loredo Santos, Conaculta-INAH-MEX*. **P. 75**, (izq.) Monte Albán, Oaxaca, Fernando Robles, Conaculta-INAH-MEX*; (der.) Uxmal, Yucatán, Baruch Loredo Santos, Conaculta-INAH-MEX*. **P. 77**, (arr.) guerrero águila, Marco Antonio Pacheco, Museo del Templo Mayor, Conaculta-INAH-MEX*; (centro) Palacio de Cortés, Morelos, Francisco Palma, Conaculta-INAH-MEX*; (ab. izq.) Pirámide de los Nichos, Tajín, Veracruz, Raúl Busteros, Conaculta-INAH-MEX*; (ab. der.) Palacio de Bellas Artes, Michael Calderwood, Reproducción autorizada por el Instituto Nacional de Bellas Artes y Literatura 2010; (ab. centro) *Guaje dorado*, Francisco Coronel. **P. 78**, *Alegoría de la Paz, la Justicia y la Ley* (detalle), de José Agustín Arrieta, fot. Rita Robles, Museo Nacional de Historia, Conaculta-INAH-MEX*. **P. 79**, (arr.) Encuentro Intercultural Infantil Tacuro e Ichan, Michoacán, Heriberto Rodríguez, Coordinación General de Educación Intercultural y Bilingüe; (arr.) escuela Benito Juárez, Ixmiquilpan, Hidalgo, Heriberto Rodríguez, Coordinación General de Educación Intercultural y Bilingüe; (centro) escuela Benito Juárez, Ixmiquilpan, Hidalgo, Heriberto Rodríguez, Coordinación General de Educación Intercultural y Bilingüe; (centro) niño, Comunicación Social SEP; (ab. der.) niña, Comunicación Social SEP; (ab.-izq.) niña, Paola Stephens Díaz; (ab. centro) niños, Instituto Nacional de la Infraestructura Física Educativa. **P. 80**, (centro izq.) títere, archivo iconográfico, DGME-SEP; (centro der.) títeres de la compañía Rosete Aranda, Baruch Loredo Santos, Museo Nacional del Títere; (ab. centro) teatro guiñol, Tatiana Abaunza. **P. 83**, (arr.) niños, foto Heriberto Rodríguez, Coordinación General de Educación Intercultural y Bilingüe; (ab.) niños, Heriberto Rodríguez, Coordinación General de Educación Intercultural y Bilingüe **P. 86**, maestra, foto Heriberto Rodríguez. **P. 87**, niños, Jordi Farré, archivo iconográfico DGME-SEP **P. 98**, Ramírez Ayotzinapa, Puebla, Heriberto Rodríguez, Coordinación General de Educación Intercultural y Bilingüe. **P. 99**, (arr.) camiones de entrega de libros de texto gratuitos y talleres de impresión, archivo fotográfico, Conaliteg. **P. 100**, niños, Comunicación Social SEP.

Formación Cívica y Ética. Primer grado
Se imprimió en los talleres de la Comisión Nacional de Libros de Texto Gratuitos, con domicilio en Av. Acueducto No. 2, Parque Industrial Bernardo Quintana, C.P. 76246, El Marqués, Qro., el mes de febrero de 2011. El tiraje fue de 2'898,900 ejemplares.
Sobre papel offset reciclado con el fin de contribuir a la conservación del medio ambiente, al evitar la tala de miles de árboles en beneficio de la naturaleza y los bosques de México.

Impreso en papel reciclado

¿Qué piensas de tu libro?

FORMACIÓN
CÍVICA Y ÉTICA
1 GRADO

Tu opinión es muy importante para nosotros. Te invitamos a que nos digas lo que piensas de tu libro de Formación Cívica y Ética, primer grado. Lee las preguntas y tacha la carita feliz o la carita triste según lo que pienses.

	Sí	No
¿Te gusta tu libro?	☺	☹
¿Te agradan sus imágenes?	☺	☹

¿Te gustan estas secciones?

	Sí	No
Platiquemos	☺	☹
Para aprender más	☺	☹
Para hacer	☺	☹
Juegos y actividades	☺	☹
Autoevaluación	☺	☹
Ilustraciones	☺	☹

Escribe:

1. ¿Qué has aprendido en tu libro?

_____

_____

2. Si tú fueras el autor o la autora del libro, ¿qué le agregarías?

_____

_____

3. Si tú fueras el autor o la autora del libro, ¿qué le quitarías?

_____

Dirección General de Materiales Educativos
Dirección General de Desarrollo Curricular
Viaducto Río de la Piedad 507,
Granjas México, 8400, Iztacalco, México, D.F.

Si deseas recibir una respuesta, anota tus datos.

Nombre: _____

Domicilio: _____
            Calle   Número   Colonia

            _____
            Entidad   Municipio o Delegación   C.P.

Pega aquí

_____
_____
_____
_____
_____
_____